Oh, Donald!
ai toujours rêvé
d'une croisière
romantique!

Édito

Mickey Parade nº 323

Hé! Hé!
Tu auras le soleil,
la mer... tout!

D0103714

Tu vas te détendre et tu te feras plein d'amis, comme eux! C'est leur première croisière!
Ils sont un peu timides, Daisy! Comme je suis sympa, je vais m'en occuper!
Bonjour, madame!
C'est vous, le docteur Love?
2

Holà! Avant de vous embarquer pour cette traversée mémorable, ne ratez pas vos magiciens préférés, Fantomiald (il perd un peu la tête), l'insaisissable Fantôme Noir, le duel qui oppose Picsou à Gripsou et, dans le Comix Zone...
... **l'interview de Midam,** pour le grand retour de "Kid Paddle"!

ON SE RETROUVE EN SEPTEMBRE! AMIS LECTEURS, D'EXCELLENTES VACANCES À TOUS!

Sommaire

Les BD

PICSOU M'A PERTURBÉE QUAND J'AI MÉLANGÉ MON ESSENCE. J'AI DÛ ME TROMPER DANS LE DOSAGE !

6 Picsou
Panique à la plage

38 Picsou
Picsou et les vacances virtuelles

81 Fantomiald
Le grand sommeil

112 Dingo reporter
La perle du fleuve

CHOUETTE ! IL S'EN VA, AU MOMENT OÙ JE NE L'ESPÉRAIS PLUS !
ET COMMENT, QUE J'M'EN VAIS !

158 Donald Alerte au Bigodou

192 Mickey
Le cycle des Magiciens: le nouveau monde. Deuxième épisode: la crypte des cent lions

BIZARRE ! ILS EN ONT APRÈS NOTRE MONTURE ! METTONS-LA À L'ABRI ! CLOS-TOR-WIND-RUUUL !

241 Mickey
Sur les traces du Fantôme Noir

HEUREUSEMENT QUE VOUS ÊTES LÀ, "DOCTEUR LOVE" !
MA PRES-CRIPTION EST SIMPLE : SECOUEZ-VOUS !

268 Donald
Donald et les garçons

LES JEUX

69-78
1er cahier jeux
Déformoscopes, Vrai ou faux, Serpentine, Laby case, Biftou, Oùkison?...
P. 78 Solutions

143 Comix zone
- Interview: Midam
- Au rayon BD...

LES JEUX

229-238
2e cahier jeux
Différences, Dominos, Sudoku, Matt Lamite, Grille fléchée, Paradotest...
P. 238 Solutions

 Couverture: Dessins: Giorgio CAVAZZANO - Couleur: Cyrille LERICHE

APPEL AUX LECTEURS

oyez, oyez!

Communauté de lecteurs...

Devoir de vacances...
Pat: «Je voudrais plus de dessins. Beaucoup plus! À vos crayons!»
(MPG: «Oups! Mieux vaut ne pas le contrarier!»)

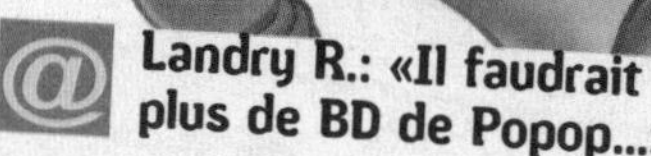

@ Landry R.: «Il faudrait plus de BD de Popop...»

MPG: Tu as des points communs avec Midam, l'auteur de "Kid Paddle", présent dans ce Comix Zone. Lui aussi adore Popop, le cousin déjanté de Donald, ainsi que les gags et l'humour en BD. Le cercle s'agrandit.

@ Pierre P.: «Encrez-vous vos histoires à la main ou par informatique? J'ai une tablette graphique. Au bout de deux minutes, j'ai envie de la casser... Dans MPG, il y a parfois des histoires de Picsou, mais jamais celles de Don Rosa. Pourquoi?»

MPG: Reprenons dans l'ordre. Beaucoup d'artistes Disney dessinent et encrent encore à la main, puis ils scannent leurs planches. Quant à ta tablette graphique... relax! Cajole-la, exerce-toi et sois patient! Pour finir, les BD Don Rosa sont réservées à "Picsou Magazine" et aux "Trésors de Picsou". MPG se réserve les BD italiennes ou danoises.

@ Loïc M., fan du "Matt Lamite" d'Aré, aimerait dix pages d'énigmes dans un numéro...

MPG: Holà, Loïc! Tu veux faire travailler Aré jour et nuit? Mais ça vaut la peine d'y réfléchir. Aré, qui te remercie pour ton e-mail, te répond à sa façon... (Bonjour à la Guadeloupe!)

Shauna, Bryan, Alex et Han réclament en chœur des BD "qui remontent dans le temps"...

MPG: Oh, un quatuor de lecteurs qui lit l'avenir! Dans le prochain numéro, Picsou se retrouvera au XVIIIe siècle avec des pirates. Les grands esprits se rencontrent!

D'autres messages passent à la moulinette page 304...

Pour nous joindre...

Par la poste: DHP, Rédaction de Mickey Parade Géant, 124, rue Danton, 92538 Levallois-Perret Cedex.

@ Par e-mail: courrierdeslecteurs MPG@lagardere-active.com

ET, COMME TOUJOURS, LÂCHEZ-VOUS DANS LE RESPECT ET LA BONNE HUMEUR!

Panique à la plage

Scénario: P. Hedman - Dessins: G. Cavazzano

J'OFFRE 0,02% DE PLUS POUR CE TERRAIN QUE VOUS REVENDEZ, MONSIEUR LE MAIRE !
DANS CE CAS, JE MONTERAI À 0,027% !
MESSIEURS ! S'IL VOUS PLAÎT ! LE CONSEIL MUNICIPAL CONSTATE AVEC PLAISIR QUE VOUS ÊTES PRÊTS À PAYER LE PRIX DEMANDÉ...
313

MAIS LE CONSEIL MUNICIPAL A NOTÉ AUSSI LE FAIT QUE VOTRE PROJET, IDENTIQUE, CONSISTERAIT À CONSTRUIRE UNE USINE BRUYANTE ET POLLUANTE SUR LE SITE !

CEPENDANT, SI L'ACQUÉREUR S'ENGAGE À DÉMOLIR CE VIEUX PONT À SES FRAIS, ALORS NOUS SERIONS PRÊTS À FERMER LES YEUX, MESSIEURS !
BIP ! BIP !

DEMAIN, J'INAUGURERAI LE NOUVEAU PONT. LE SORT DE L'ANCIEN DOIT ÊTRE RÉGLÉ CE SOIR !
MONSIEUR PICSOU ! REGAGNEZ IMMÉDIATEMENT VOTRE COFFRE !
ALLÔ ? QUOI ? LES RAPETOU ?!
2

IL FAUT REPORTER NOS NÉGOCIATIONS, MESSIEURS ! ON M'APPELLE DE MA MINE D'OR !
N'ACCEPTEZ RIEN AVANT MON RETOUR !
741

CEPENDANT...
REGARDEZ ÇA ! ON VA METTRE DES HEURES, POUR ACCÉDER À LA PLAGE !
313
8932
3

JE CONNAIS UNE AUTRE PLAGE, PAS LOIN ! IL N'Y A JAMAIS PERSONNE, ET J'IGNORE POURQUOI.
313

LE SABLE Y EST AUSSI AGRÉABLE QUE SUR LA PLAGE DE DONALDVILLE !
C'EST QU'IL Y A AUTRE CHOSE DE LOUCHE, ALORS !

AU MÊME MOMENT...
EN RENTRANT D'UNE COURSE EN VILLE, J'AI VU QUE MISS TICK ATTAQUAIT LE COFFRE !
AAHA ! VOUS FERIEZ BIEN DE VOUS RENDRE, DÈS MAINTENANT !
PLOF !

ARRÊTE, MISS TICK ! TU N'AS AUCUNE CHANCE D'ENTRER !
OH, TU N'ES PAS À TON BUREAU, PICSOU ?

DEHORS OU DEDANS, C'EST PAREIL ! PRENDS ÇA !
PLOF !

PENDANT CE TEMPS...
QU'EN DITES-VOUS ? SUPER PLAGE, NON ?
IL N'Y A RIEN. PAS MÊME UN VENDEUR DE GLACES !
ET LE SABLE EST UN PEU SALE !
313
4

JE COMPRENDS POURQUOI PERSONNE NE VIENT ! L'EAU EST DÉGOÛTANTE !

GROUMPF ! CESSEZ DE VOUS PLAINDRE ! PRENEZ VOTRE BALLON ET ALLEZ JOUER !

AU COFFRE, MISS TICK A NETTEMENT L'AVANTAGE...

ON DIRAIT QUE MES BOMBES À PLOF ONT EU RAISON DE TOI ET DE TES HOMMES, PICSOU !

VOYONS SI UN NUAGE DE CETTE POTION NE TE CHANGE PAS !

PFFT !

ARGH !

5

M-MISS...
IL FAUT QUE J'EXÉCUTE TOUS VOS DÉSIRS !
OUI ! ET, PAR BELZÉBUTH, JE SAIS CE QUE JE VEUX !
OH, NON ! MISS TICK TIENT MONSIEUR PICSOU À SA MERCI !
OUVRE-MOI TON BUREAU !
AU FAIT, POURQUOI GRIPSOU ÉTAIT-IL AUSSI PRESSÉ ?
HEIN ? OÙ SONT LES GARDES ?
MINE D'OR GRIPSOU
MINE D'OR GRIPSOU
TOUS LES EMPLOYÉS ONT ÉTÉ ENFERMÉS DANS LA CANTINE, MONSIEUR GRIPSOU...
ENSUITE, MONSIEUR, LES RAPETOU SONT ENTRÉS DANS VOTRE COFFRE !
6
HA ! HA ! HA ! VITE ! À L'AVION !
QUELLE VUE MERVEILLEUSE !
CRASH!
176-167

CANTINE
OH ! S'LUT, PATRON !
FINIE, LA PAUSE DÉJEUNER ! ATTRAPEZ CES BANDITS ! BOUGEZ-VOUS !
SUR LA PETITE PLAGE...
CE QU'IL FAIT CHAUD ! J'AIMERAIS VRAIMENT ME BAIGNER !
MOI AUSSI ! MAIS PAS DANS CETTE EAU !
HEP ! VENEZ MANGER, LES GARÇONS !
HUM ! D'OÙ SORTENT TOUS CES INSECTES ?
AUCUNE IMPORTANCE ! QUI A FAIM ?
AU COFFRE, PICSOU SE RÉVEILLE DOULOUREUSEMENT...
HA ! HA ! HA !
OH, NON ! CE RIRE SINISTRE NE PEUT SIGNIFIER QU'UNE CHOSE...
7

ARGH !
MON SOU
FÉTICHE !
C'EST
ÇA, PICSOU !
TU FERAIS
BIEN DE TE
RÉSIGNER !
PLOF !

NON ! JE N'ABANDONNE
JAMAIS ! JE RÉCUPÉRERAI
MON SOU !

SI MES GARDES
SONT HORS DE COMBAT,
ALORS J'AFFRONTERAI
MISS TICK SEUL !

GRIPSOU FONCE
AUSSI RÉCUPÉRER
SES BIENS...
ILS SE SONT
ENFUIS AVEC 1 278 KILOS
D'EXCELLENT MINERAI
D'OR, MONSIEUR !
ILS ONT PARLÉ
D'UN AVION !
VENEZ !
MINE D'OR
GRIPSOU
8

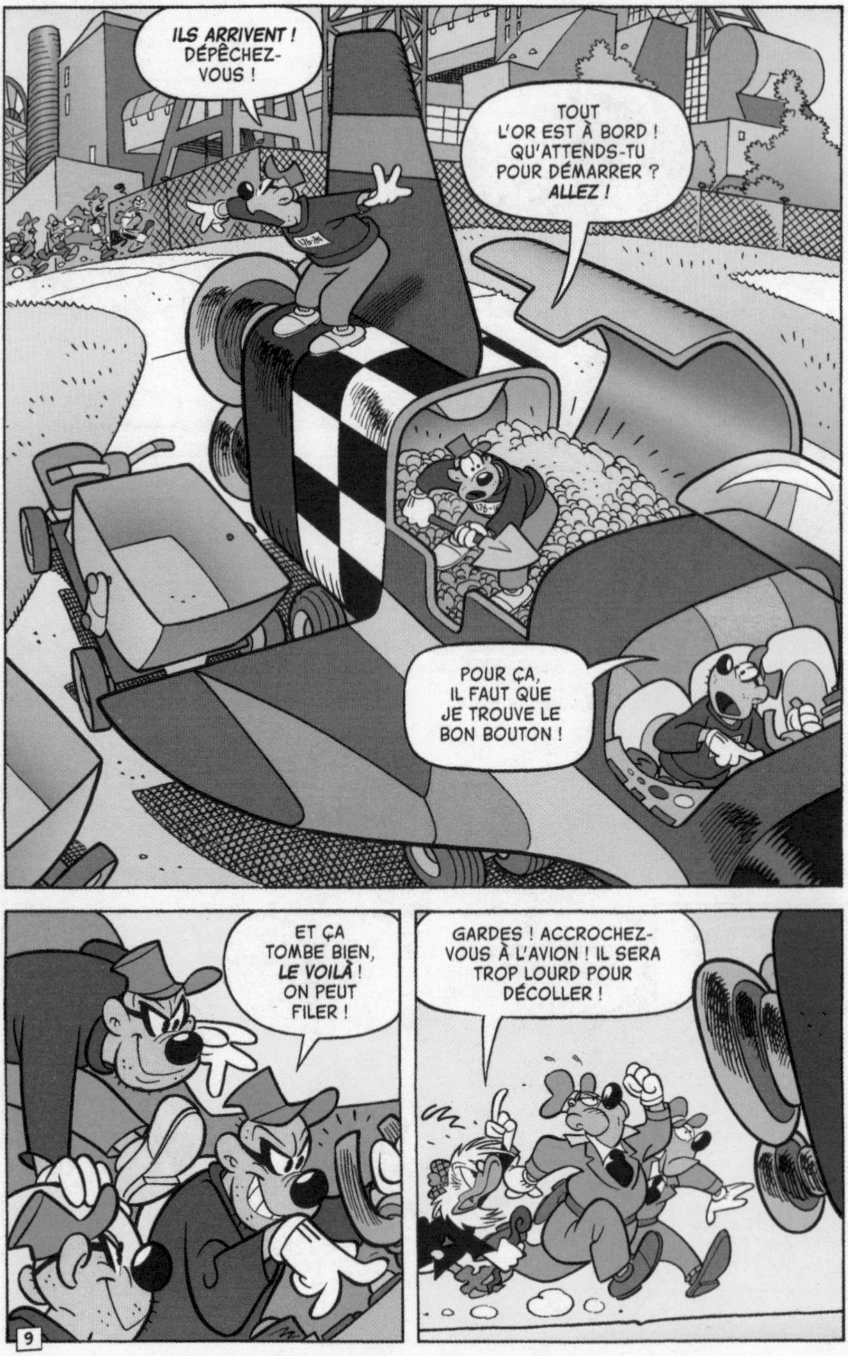

ILS ARRIVENT ! DÉPÊCHEZ-VOUS !
TOUT L'OR EST À BORD ! QU'ATTENDS-TU POUR DÉMARRER ? ALLEZ !
POUR ÇA, IL FAUT QUE JE TROUVE LE BON BOUTON !

ET ÇA TOMBE BIEN, LE VOILÀ ! ON PEUT FILER !
9

GARDES ! ACCROCHEZ-VOUS À L'AVION ! IL SERA TROP LOURD POUR DÉCOLLER !

BANDE D'INCAPABLES !

VRAOUM !

SUIVEZ-MOI ! IL Y A UN HÉLICOPTÈRE À LA MINE !

PICSOU A TROUVÉ UN VÉHICULE RAPIDE...
C'EST SCANDALEUX D'ABUSER DE LA FAIBLESSE D'UN VIEILLARD COMME MOI ! POURTANT, JE LUI AVAIS PROPOSÉ UN BON PRIX, POUR SON VÉHICULE...

... MAIS NON ! IL A MARCHANDÉ ET J'AI PERDU UN TEMPS PRÉCIEUX ! COMMENT RATTRAPER MISS TICK, À PRÉSENT ?

EH BIEN, C'EST ENCORE POSSIBLE, BALTHAZAR !
PAR BELZÉBUTH ! NE TOMBE PAS EN PANNE ! PAS MAINTENANT !

GROUMPF ! IL FAUT REFAIRE DE L'ESSENCE-SORCIÈRE !
POUF !
11

OH, NON ! FLÛTE !

PLOF !
!
CRASH !
HA ! HA ! HA !
ADIEU, PICSOU !

!
OUAAAAH!

HA ! HA ! HA !
TCHAF !
?

VROAR !
!

PENDANT CE TEMPS...
LES GUÊPES SE SONT APPROPRIÉ NOTRE DÉJEUNER ET, MOI AUSSI, J'AI FAIM !
J'ACHÈTERAI DES HOT DOGS AU RETOUR, O.K. ? AMUSEZ-VOUS !
13

GRIPSOU EST BIEN DÉTERMINÉ À RETROUVER LES VOLEURS...
ÇA VA ÊTRE DIFFICILE DE LES RATTRAPER, MONSIEUR GRIPSOU !

CES PILOTES SONT DES AS ! ILS VOLENT EN RASE-MOTTES, POUR NE PAS ÊTRE REPÉRÉS !

LES RAPETOU VOLENT BAS, CERTES, MAIS ILS SONT LOIN D'ÊTRE DES AS !
POURQUOI TU NE PRENDS PAS PLUS D'ALTITUDE, 176-671 ?
J'ESSAIE, MAIS LE CHARGEMENT D'OR NOUS TIRE VERS LE BAS !

ALORS, SURVOLE LA MER, AVANT QU'ON NE S'ÉCRASE !
JE VAIS ESSAYER !
14

SPLATCH !
OUARGH !

MISS TICK AUSSI
A DES ENNUIS...
PICSOU M'A PERTURBÉE QUAND J'AI MÉLANGÉ MON ESSENCE. J'AI DÛ ME TROMPER DANS LE DOSAGE !
BANG !

ELLE EST MOINS RAPIDE QUE TOUT À L'HEURE ! COMMENT LA FAIRE REDESCENDRE ?
15

JE DOIS REFAIRE DU CARBURANT !

CETTE CONDUITE HORS-PISTE ME RALENTIT PLUS QU'AUTRE CHOSE !

P-PAS FACILE DE DOSER EN PLEIN VOL !
OH ! REGARDEZ, LÀ-HAUT !
ON DIRAIT MISS TICK !
DONALD ! LES ENFANTS ! ARRÊTEZ-LA !
ET VOILÀ ONC'PICSOU !
16
AÏE !
TCHUNK !
PETIT IMBÉCILE !
PLOF !

!

GOURF !

OUILLE !
PLUMB !

EH ! C'EST QUOI ÇA ?
17

CRASH !
OUAARGH !
MON OR !
OUAAAH !
MES BOMBES
À PLOUF ET
MON ÉQUIPEMENT
MAGIQUE VONT
EXPLOSER !
18

SPLATCH !

TOUSSE ! TOUSSE !
OURGF ! TOUT CE SABLE !
MISS TICK ! OÙ EST MON SOU FÉTICHE ?

OH, NON ! IL EST TOMBÉ DE MON SAC !

QUOI ? TU VEUX DIRE QU'IL EST LÀ-DESSOUS ?! TOUT LE SABLE A ÉTÉ SOULEVÉ PAR L'EXPLOSION !
ARGH ! MES PÉPITES D'OR SONT AUSSI LÀ-DESSOUS !
19

JE FILE ! JE N'AI PLUS DE MUNITIONS ! MAIS UN JOUR, J'AURAI CE SOU !
ON VOUS ARRÊTE, LES RAPETOU !
176-67
-167
MON OR !

NE RESTEZ PAS PLANTÉS LÀ ! COMMENCEZ À CHERCHER MON SOU !
UMPF ! VENIR SUR CETTE PLAGE, C'ÉTAIT NUL COMME IDÉE !

TROUVER TON SOU PRENDRA DES ANNÉES !
ON PEUT GARDER LES PÉPITES D'OR ?

NON, JAMAIS JE NE M'ABAISSERAI À VOLER GRIPSOU ! REJETEZ-LES, ET LAISSEZ-LE PLUTÔT LES RAMASSER !
20

VOUS, LIVREZ CES BANDITS À LA POLICE ! JE VAIS CHERCHER À LA MINE L'ÉQUIPEMENT APPROPRIÉ !
176-167

ET BIENTÔT...
HEIN ? C'EST QUOI, CET ENGIN ?

GÉNIALE, MA MACHINE, NON ? ELLE ASPIRE LE SABLE QUI CONTIENT MON OR, SÉPARE ET LAVE LES DEUX ÉLÉMENTS. EN PLUS, ELLE TRANSFORME LES PÉPITES EN LINGOTS D'OR !
BROUUUM !
ET SI MON SOU FÉTICHE SE TROUVE DANS LE SABLE QUE TU VAS ASPIRER ?

ÇA SERA LA "FAUTE À PAS DE CHANCE" ! PRENDS CELUI-LÀ, EN ÉCHANGE !
DONALD ! SON ENGIN N'AVANCE PAS VITE ! FOUILLE LE SABLE QU'IL VA ASPIRER !
21

JE REVIENS VITE !

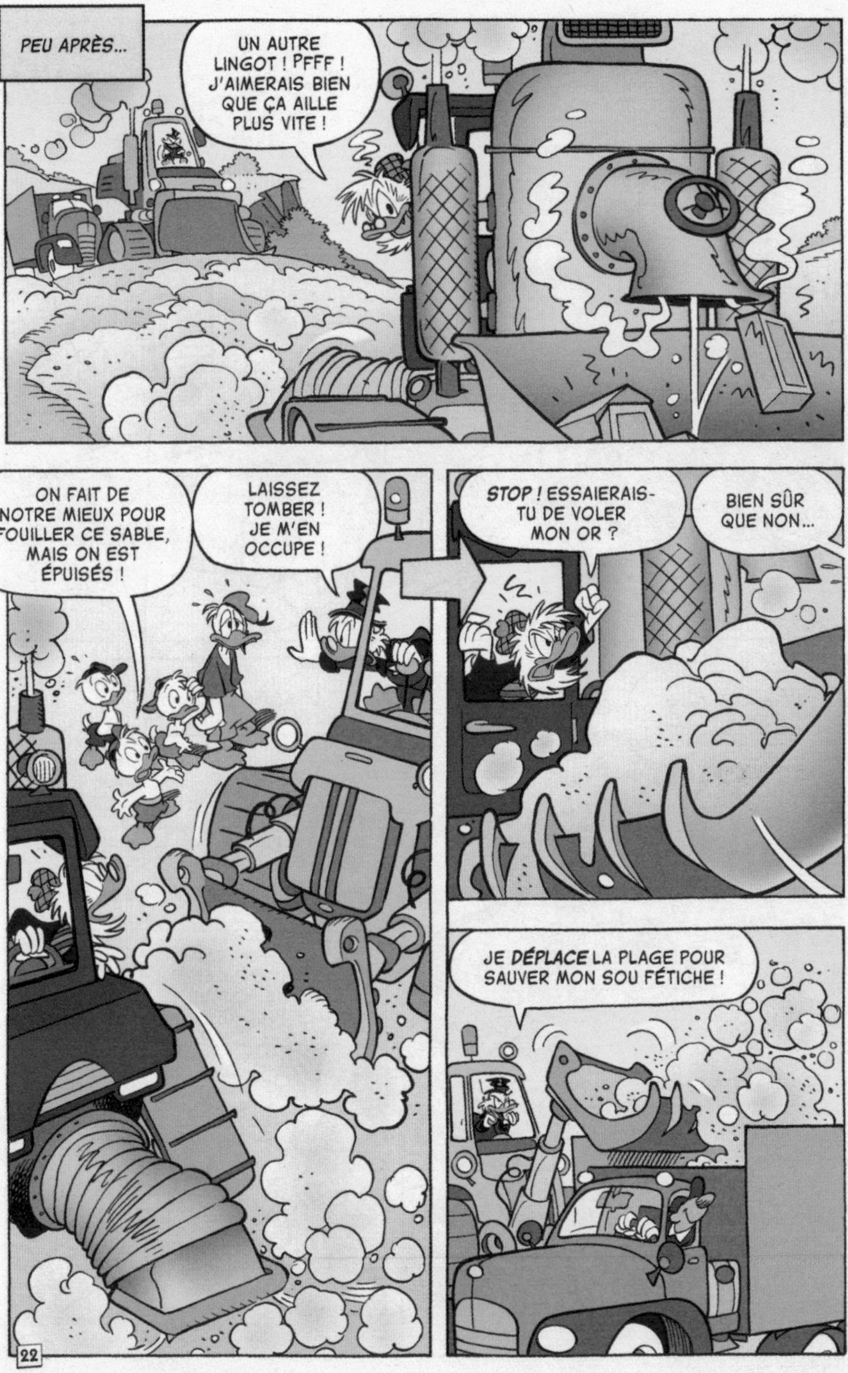

PEU APRÈS...

UN AUTRE LINGOT ! PFFF ! J'AIMERAIS BIEN QUE ÇA AILLE PLUS VITE !

ON FAIT DE NOTRE MIEUX POUR FOUILLER CE SABLE, MAIS ON EST ÉPUISÉS !

LAISSEZ TOMBER ! JE M'EN OCCUPE !

STOP ! ESSAIERAIS-TU DE VOLER MON OR ?

BIEN SÛR QUE NON...

JE L'EMMÈNE SUR LE GAZON QUI ENTOURE MON COFFRE, ET QUI EST SUR UNE *PROPRIÉTÉ PRIVÉE* ! JE TE RENDRAI LE SABLE DÈS QUE J'AURAI TROUVÉ MON SOU. ALORS, PATIENTE !

RHABILLEZ-VOUS ET SUIVEZ-MOI EN VILLE, DONALD !
GRRR ! QUEL AFFRONT !
23

ET LE SABLE S'ACHEMINE...

ATTENDS UN PEU ! SI SEULEMENT CETTE MACHINE POUVAIT ALLER PLUS VITE...

AINSI FINIT LA PLAGE...
ELLE ÉTAIT NULLE, CETTE PLAGE, DE TOUTE FAÇON !
313
OH, OH ! GRIPSOU RATTRAPE LA FILE DE CAMIONS D'ONC'PICSOU !
ON DIRAIT QUE SA RAGE ALIMENTE SA MACHINE ! ELLE AVANCE PLUS VITE !
À QUELQUES CENTAINES DE MÈTRES DE LÀ...
JE DÉCLARE LE NOUVEAU PONT OUVERT !
ET...
IL ÉTAIT TEMPS QU'ILS FERMENT CE VIEUX PONT !
OUAIS ! IL COMMENCE DÉJÀ À S'EFFRITER !
24

HÉ ! HÉ !
OH, OH ! ON FERAIT BIEN DE PRÉVENIR ONCLE PICSOU !

ONCLE PICSOU ! GRIPSOU PLONGE SA "TROMPE" DANS TON CAMION DE QUEUE !

PICSOU À TOUS LES CONDUCTEURS ! IL FAUT SEMER CE VOLEUR AVALEUR DE SABLE !

À GAUCHE, TOUUUUUTE !
!

ARGH ! MAIS ILS SONT FOUS !
ATTENTION AUX PANNEAUX, ONCLE PICSOU !
CRASH !
AÏE ! ILS ONT DÉJÀ CONDAMNÉ LE PONT !
25

!

BRAOUM !

ARGH ! CATASTROPHE ! IMPOSSIBLE DE RETROUVER MON SOU, APRÈS ÇA !

313

26

TOC !
NON ! LE...
LE VOILÀ ! MON SOU FÉTICHE !
MON SOU CHÉRI !
PLING !
JE T'AI RETROUVÉ ! JE T'AI RETROUVÉ ! JE SUIS HEUREUX !
QUE SE PASSE-T-IL, ICI ?
J'AI PEUR QU'IL S'AGISSE DE MON ONCLE ET DE GRIPSOU !
27

QUOI ? ILS ONT SINISTRÉ TOUTE LA ZONE !
C'EST PICSOU QUI A VOLÉ MON OR ET A PROVOQUÉ TOUT CE CHAOS !
ARRÊTEZ-LE, MONSIEUR LE MAIRE !
FERME TON BEC, GRIPSOU ! JE NETTOIERAI TOUT CE CHANTIER, COMME ÇA J'EN PROFITERAI POUR ACHETER LE TERRAIN !
PICSOU CONSTRUIRA UNE USINE BRUYANTE ET POLLUANTE, MONSIEUR LE MAIRE !
MAIS PAS AUSSI BRUYANTE ET POLLUANTE QUE CELLE DE GRIPSOU !
MESSIEURS, ATTENDEZ ! J'AI BESOIN DE CONNAÎTRE VOS PROJETS POUR CE SITE, ALORS ON SE CALME !
NOUS SAVONS DÉJÀ CE QUE COMPTE EN FAIRE NOTRE ONCLE PICSOU !
ET QUE SAVEZ-VOUS DE MES PROJETS, LES GARÇONS ?
ON SAIT CE QUE TU VAS CONSTRUIRE ICI ! C'EST ÉVIDENT, NON ?
28

RÉFLÉCHIS ! UNE NOUVELLE PLAGE POUR TOUS LES DONALDVILLOIS !
UNE... UNE *PLAGE ?!*
BIEN SÛR ! LA PLAGE ACTUELLE EST BONDÉE, QUAND IL FAIT BEAU ! LES GENS ADORERONT L'IDÉE D'AVOIR UNE NOUVELLE PLAGE EN VILLE !
VOUS ÊTES FOUS ! COMMENT GAGNE-T-ON DE L'ARGENT, AVEC UNE "*PLAGE*" ?
C'EST SIMPLE ! OFFRE UNE PLAGE AUX GENS, ET ILS ACCOURRONT LOUER DES PÉDALOS, ACHETER DES GLACES ET TOUT LE RESTE !
J'ADORE ! EXCEL-LENTE IDÉE !
OBJECTION ! INTERDICTION DE LAISSER DES GENS MARCHER SUR LE SABLE QUI CONTIENT *MON OR* !
RESPIRE, GRIPSOU ! JE TE PROMETS QUE TU AURAS DU TEMPS POUR RAMASSER TES PÉPITES !
CITOYENS DE DONALDVILLE, DANS DEUX JOURS, LA "*PICSOU PLAGE DE DONALDVILLE*" SERA OUVERTE !
29

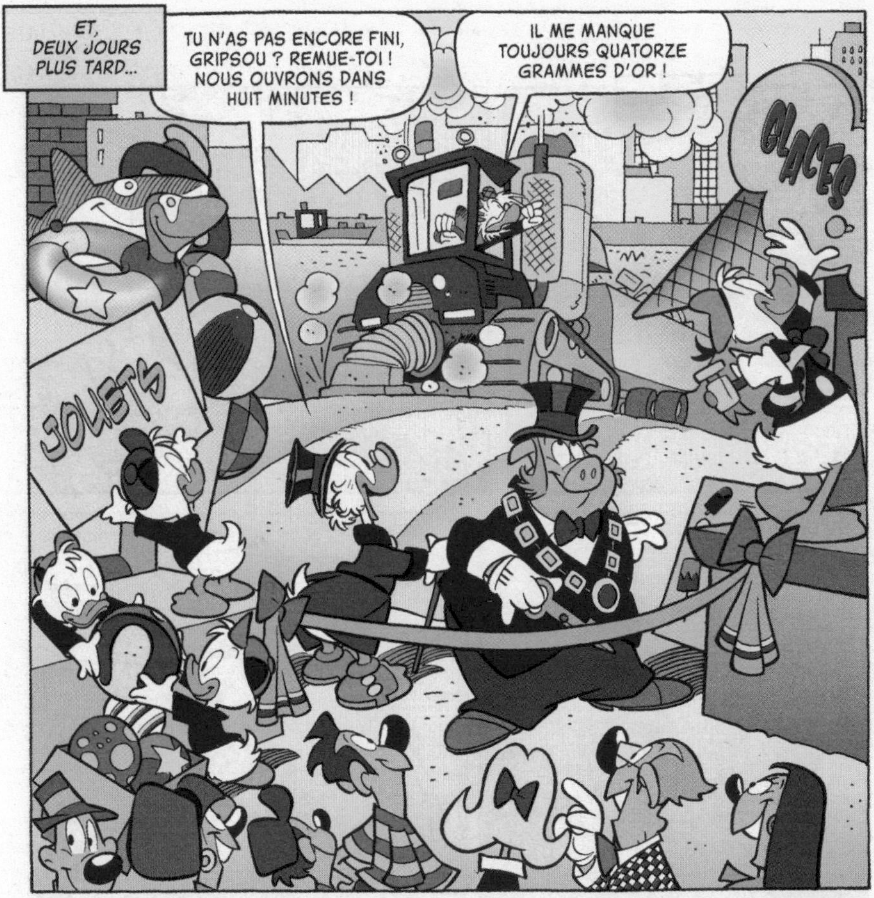

ET, DEUX JOURS PLUS TARD...

TU N'AS PAS ENCORE FINI, GRIPSOU ? REMUE-TOI ! NOUS OUVRONS DANS HUIT MINUTES !

IL ME MANQUE TOUJOURS QUATORZE GRAMMES D'OR !

GLACES

JOUETS

Walt Disney
LE SURF D'ALTITUDE

HUM...
WOOSH
J-2867-01

TU ES SÛR D'EN AVOIR BESOIN, POUR T'ENTRAÎ-NER ?

IL Y A LA CRÊTE, LA PLANCHE DE SURF ET LE *GRAND ATHLÈTE* ! IL NE MANQUE QU'*ELLE* ! *ENVOIE* !

SCIAFF
ARGH !
ÇA MARCHERAIT PEUT-ÊTRE MIEUX, SI JE METTAIS DU SEL DANS L'EAU ! *HÉ, HÉ* !
FIN

PUBLICITÉ

NINTENDO DS

BANDAI NAMCO

Solatorobo
Red the Hunter

ARPENTEZ LES CIEUX POUR SAUVER LE DESTIN D'UN PEUPLE

RED

Red Savarin est un jeune mercenaire de 17 ans qui ne se déplace jamais sans son mécha, le Dahak. Comme tous les Caninu, Red a une tête de chien et un corps d'humain… Une mystérieuse rencontre va changer le cours de sa vie : un sombre avenir est promis à son monde et Red est le seul espoir face à un terrible ennemi millénaire, Larès !
Arpentez les cieux pour sauver le destin des vôtres dans un monde céleste où flottent d'intrigantes îles volantes.

DÉJÀ DISPONIBLE

Walt Disney

Picsou et les vacances virtuelles

Journée de canicule à Donaldville...

J'aimerais me rendre dans une île exotique, une célèbre station de ski ou encore une capitale étrangère...

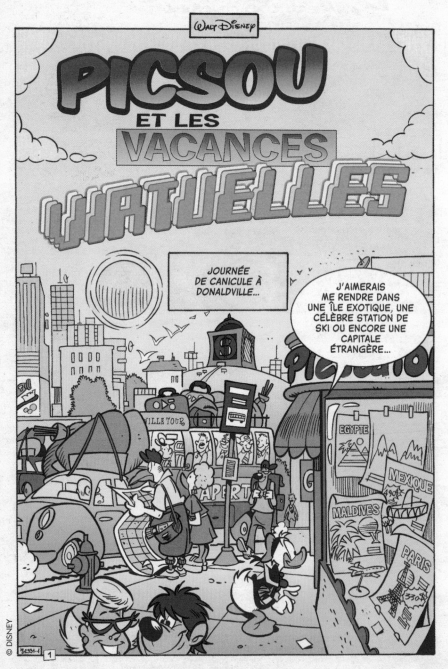

Scénario: C. Panaro - Dessins: M. Gervasio

... MAIS JE RESTERAI ICI, HÉLAS, CAR JE SUIS COMPLÈTEMENT FAUCHÉ !

PFFF ! LES VACANCES SONT UN GASPILLAGE D'ARGENT ! JE N'EN PRENDS JAMAIS !
PARCE QUE TU ES UN AVARE, ONCLE PICSOU !

TOUT LE MONDE A BESOIN DE VACANCES, APRÈS UNE DURE ANNÉE DE LABEUR ! C'EST NORMAL !
MER 3 KM.
BAR

COMME TU L'AS SI BIEN DIT ! APRÈS AVOIR TRAVAILLÉ ! CE QUI N'EST PAS TON CAS !
PFFF !
2

IL FAUDRAIT INVENTER UN MOYEN DE PARTIR EN VACANCES À PEU DE FRAIS !
?!

DONALD, TU ES UN GÉNIE !
TU VIENS DE ME SUGGÉRER UNE AFFAIRE JUTEUSE ! FILONS CHEZ...
"... L'AMI GÉO !"
INVENTER UN MOYEN DE PRENDRE DES VACANCES GRATUITES ?
EXACT !
GÉO INVENTEUR
IMPOSSIBLE, PICSOU !
POURQUOI ?
JE L'AI DÉJÀ FAIT !
WOÂH ! VOYONS, VOYONS !
3

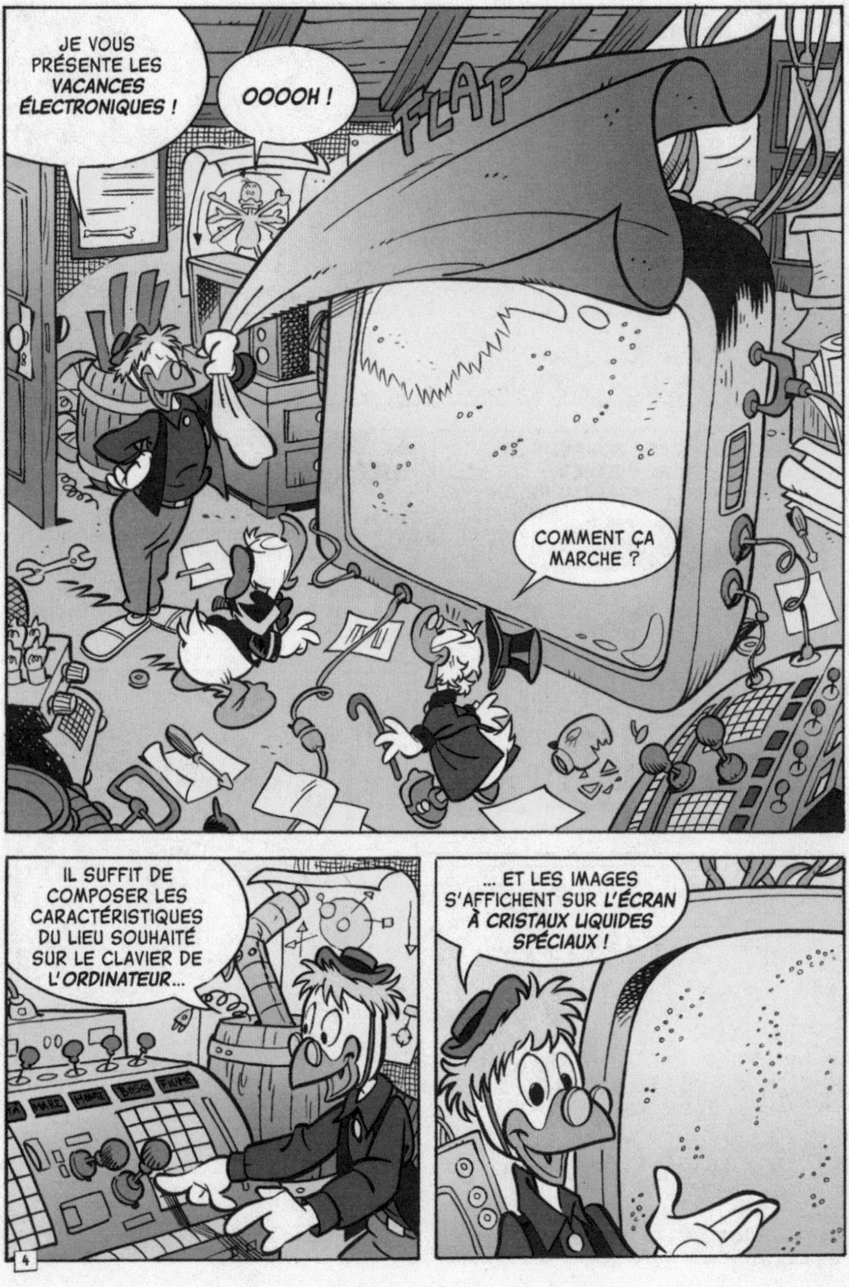

JE VOUS PRÉSENTE LES *VACANCES ÉLECTRONIQUES* !

OOOOH !

FLAP

COMMENT ÇA MARCHE ?

PUIS ON TRAVERSE L'ÉCRAN AFIN DE VIVRE DES VACANCES *RÉELLES* DANS UN MONDE *VIRTUEL* !
GRANDIOSE !

LES *POSSIBILITÉS* SONT INFINIES... COMME LE SERONT MES BÉNÉFICES DÈS QUE J'AURAI COMMERCIALISÉ TON INVENTION !

"J'OUVRIRAI DES **AGENCES DE VOYAGE ÉLECTRONIQUES** ! LES TOURISTES POURRONT PARTIR SUR-LE-CHAMP POUR UNE SOMME **RAISONNABLE**... MÊME POUR MOI !"

$ 99 SEULEMENT

LE VACANCIER ÉLECTRONIQUE

BLUB

$ RING RING $ RING

5

CALMEZ-VOUS, PICSOU ! JE N'AI PAS ENCORE TESTÉ MON PROTOTYPE !
TESTONS-LE DONC ENSEMBLE !
AH ? MAIS JE...

TAIS-TOI ! TU VOULAIS DES VACANCES ? C'EST L'OCCASION OU JAMAIS !
HUM... TU AS RAISON !

JE FAIS MES VALISES !
FAIS VITE ! J'AI HÂTE DE PARTIR EN VACANCES !

PLUS TARD...
OUF ! POUF ! J'AI PRIS TOUT LE MATÉRIEL DE CAMPING ! ÇA VOUS VA ?
TRÈS BIEN !

TAPE SUR LE CLAVIER LES CARACTÉRISTIQUES QUE TU SOUHAITES !
6

UNE FORÊT BIEN VERTE, UNE RIVIÈRE TRANQUILLE... OUI... JE M'Y VOIS DÉJÀ !
PIK
PIK
PIK

ZAAAM

VOILÀ LE SITE DE TON CHOIX !
YAOUH ! C'EST TOUT À FAIT ÇA !

MAINTENANT, TRAVERSONS L'ÉCRAN ET...
BLUB
7

... NOUS Y SOMMES !
SUPER ! TOUT A L'AIR SI RÉEL !
PLOP

LE CANOT À MOTEUR EST BIEN DE LA COULEUR QUE J'AVAIS INDIQUÉE !
HÉ, HÉ ! TU M'EN VOIS RAVI !

OUI ! JE VAIS GAGNER DES MILLIONS ! DES MILLIARDS !
RING
RING
RING

ON VA PASSER DE MERVEILLEUSES VACANCES !
POK
POK

VOYONS... À UN MILLION DE TOURISTES PAR MOIS À CENT DOLLARS L'UN, ÇA FAIT...

OUACK !
ARGH !
8

PFFF ! TU T'ES ENCORE TAPÉ SUR LES DOIGTS, HEIN ?
PAS DU TOUT !

JE VIENS DE PENSER QUE MON CHANTEUR PRÉFÉRÉ PASSE CE SOIR À LA TÉLÉ !

SNIF ! LÀ, C'EST RATÉ !
POURQUOI ? VA CHEZ TOI CHERCHER TON TÉLÉVISEUR PORTATIF !

LE PASSAGE ÉLECTRONIQUE EST ENTRE CES DEUX ARBRES POUR ARRIVER CHEZ MOI !
FANTASTIQUE ! J'Y COURS !

DONC... OÙ EN ÉTAIS-JE ?... AH, OUI...
9

OUACK !
ENCORE ?!

ARRÊTE DONC DE *HURLER* ! JE N'ARRIVE PAS À ME CONCENTRER !
AÏE ! IL N'Y A QU'UN *RONCIER* ENTRE CES DEUX ARBRES !

?
OUPS ! LE PASSAGE A DISPARU !

HEIN ? COMMENT ÇA ?
AHEM...

IL A PEUT-ÊTRE ÉTÉ *DÉPLACÉ* PAR UNE DISTORSION IMPRÉVUE DU *FLUX ÉLECTRONIQUE* !
!
10

QU'ALLONS-NOUS FAIRE ?
LE CHERCHER ! IL FAUT QU'IL SOIT LÀ, CAR C'EST NOTRE SEUL ESPOIR !

CHERCHONS ! ON LE RECONNAÎTRA PARCE QU'ON RESSENTIRA UNE LÉGÈRE VIBRATION !
BON !
ET...
BONK
AÏE ! IL N'Y A QUE DES ROCHERS !
AAAAH ! CE TRONC EST PLEIN DE TERMIIIITES !
AAAAH !
C'EST GÉO !
GÉO ? AURAIS-TU TROUVÉ LE PASSAGE ?
NON ! J'AI TROUVÉ UN FOSSÉ !
OUPS !
11

NOS AMIS FONT LE POINT DE LA SITUATION...
ON A CHERCHÉ PARTOUT ! EN VAIN ! À CE STADE, LA SEULE RÉPONSE EST QUE...
QUOI ?

... LE PASSAGE S'EST EFFACÉ !
GASP !

ET CE N'EST PAS NOTRE SEUL PROBLÈME !

ON EST PIÉGÉ DANS LA FORÊT ! DONALD N'A RIEN PROGRAMMÉ D'AUTRE ! RESTE... LE NÉANT !
OH ! ON DIRAIT UN MUR INVISIBLE !
FZIII-II
12

JE VAIS RÉFLÉCHIR ! MAIS ÇA RISQUE D'ÊTRE DUR !

ON RÉFLÉCHIT MIEUX LE VENTRE PLEIN ! JE FAIS LE REPAS !

OUPS ! OÙ SONT LES ŒUFS ?

OH ! MA POÊLE AUSSI A DISPARU... JE LA TENAIS ENCORE À L'INSTANT !

GULP ! VOILÀ QUE LE RÉCHAUD À GAZ SE VOLATILISE !
13

C'EST INQUIÉTANT !
REGARDEZ !

IL Y AVAIT LÀ UN ARBRE ET UN BUISSON... EUX AUSSI SE SONT ENVOLÉS !
GASP !

ALORS, ON N'EST...
... PAS SEULS !

CE N'ÉTAIT PAS PROGRAMMÉ !

EH ! L'INTRUS EST LÀ-BAS !
GNAK
CRUNCH
GNAM
14

AVANÇONS PRUDEMMENT ! ON LE PRENDRA PAR SURPRISE !
CRUNCK
GNAM
OH NON !
CHOMP
SLURP
GNAM
QUI C'EST, CELUI-LÀ ?
OU QU'EST-CE QUE C'EST ?
15

JE CROIS LE SAVOIR !
PAF

C'EST UN VIRUS... IL DÉTRUIT LE PROGRAMME DE L'ORDINATEUR !
GULP !

IL A DÛ EFFACER LA MÉMOIRE DU VACANCIER ÉLECTRONIQUE ET LES DONNÉES DU PASSAGE !
ET LÀ, IL S'ATTAQUE AU RESTE !

EN LE DÉVORANT... ET AVEC APPÉTIT, ENCORE !
GNAM
SLURP

MAIS... D'OÙ VIENT-IL ?
CES VIRUS ONT DIVERSES VOIES D'ACCÈS... E-MAIL, FICHIERS...
16

HUM... MAIS JE NE COMPRENDS PAS COMMENT IL S'EST INFILTRÉ... J'AI UN LOGICIEL ANTIVIRUS...
BON ! ASSEZ BAVARDÉ !

PASSONS À L'ACTION ! JE VAIS ARRÊTER CE GROS GOURMAND !
ATTENTION, PICSOU !
CRUNCH CRUNCH

PRENDS ÇA... EH LÀ !?
PAF
GNAK ?

?!
FLOP
GLOM

SLURP
YUM
HEIN ? QUE...

17

GNAM
AH NON ! C'EST À MOI !
SWISH

JE L'AI ACHETÉ IL Y A MOINS DE CINQUANTE ANS !
SOCK
GNUK !
BRAVO ! TU L'AS ASSOMMÉ ! JE VAIS LE CAPTURER !
CIP CIP CIP CIP
ET TOC !
SWLAM
HÉ, HÉ ! CE FUT PLUS FACILE QUE PRÉVU !
GNAK GNAK
MÉFIE-TOI !
SQUIIIIIK !
SGNAKKETE
18
QUEL VORACE ! JE SUGGÈRE UNE RETRAITE STRATÉGIQUE !
JE SUIS D'ACCORD !
ZOOOOMM

AINSI...
IL DÉVORE TOUT ! À CE TRAIN, IL NE RESTERA BIENTÔT PLUS RIEN DE CETTE FORÊT !
ET PAS SEULEMENT D'ELLE !
GNAM
SLURP

ON FAIT DÉSORMAIS PARTIE INTÉGRANTE DE CE MONDE VIRTUEL ! S'IL DISPARAÎT, NOUS AUSSI !
GASP !

JE NE PEUX PAS LAISSER MES DOLLARS SANS LEUR PAPA ! TROUVE UNE SOLUTION, GÉO !
J'Y RÉFLÉCHIS !

L'ANTIVIRUS EST NOTRE SEUL ESPOIR ! IL AURAIT DÛ SE DÉCLENCHER AUTOMATIQUEMENT QUAND DONALD A PROGRAMMÉ SES DONNÉES DE VACANCES !
POURQUOI NE L'A-T-IL PAS FAIT ?
19

QUELQUE CHOSE A DÛ LE BLOQUER !
HUM... IL FAUT SAVOIR CE QUI S'EST PASSÉ !

ET TROUVER LE POINT EXACT PAR OÙ L'ANTIVIRUS S'EST INFILTRÉ !
C'EST-À-DIRE ?

IL AURAIT DÛ ENTRER PAR LE DERNIER ÉLÉMENT DE LA FORÊT DE DONALD !
QUOI ?

ÇA NE VA PAS VOUS PLAIRE ! C'EST UNE GROTTE AU SOMMET D'UN PIC ESCARPÉ !
GLAB !
20

IMBÉCILE ! TU N'EN FAIS JAMAIS D'AUTRES ! IL VA FALLOIR FAIRE DE L'ESCALADE ??!
SNIFF !

CALMEZ-VOUS !
ON N'A PAS LE TEMPS DE SE BAGARRER !

LE VIRUS, LUI, AGIT RAPIDEMENT !
GNAM
CRUNCH

GNAM
SLURP
GÉO A RAISON ! VITE, PRENONS LE BATEAU À MOTEUR !

EN SUIVANT LA RIVIÈRE, ON SERA LES PREMIERS AU PIC !
21

ARGH ! S'IL NOUS LE PERMET !

CRONK
SBAF
IL EST DÉJÀ LÀ !
S'IL ATTAQUE LE BATEAU, ON COULE !

DONNONS-LUI LES PROVISIONS, ÇA LE RETIENDRA !

JE N'EN AI PLUS !
SLURP
ACCÉLÈRE, DONALD !

ÇA VIENT !
22

GLOM

!
GROAN
UN PEU LOURD, LE MOTEUR, NON ? TU VAS METTRE DU TEMPS À LE DIGÉRER !

ON CONTINUE À LA RAME !
BRAVO, DONALD ! EXCELLENTE IDÉE !

BIZARRE ! LE COURANT EST PLUS FORT !

AH ! JE ME SOUVIENS... J'AI PROGRAMMÉ... DES CHUTES D'EAU !
KROOOSH
GRRR ! DÈS QUE JE TE FAIS UN COMPLIMENT, TU ME LE FAIS TOUT DE SUITE REGRETTER !
23

AAAAH !
KROOOSHH
KRAAASHHH
CET ARBRE... UN VRAI MIRACLE !
ARGH ! IL VA LÂCHER !
VITE ! DESCENDONS DE LÀ !
KRE-EEEK
24

UNE FOIS SORTIS D'AFFAIRE, NOS AMIS FONCENT VERS...
LE PIC ! ENFIN ! NOUS Y SOMMES !

PAS LE TEMPS D'ADMIRER LE PAYSAGE ! DÉPÊCHONS-NOUS !

BRRR ! J'AI LE VERTIGE !
RAT RAT
REGARDE EN HAUT !

ENFIN ! LE SOMMET !
25

ARRÊTE DE CLAQUER DES DENTS, TROUILLARD !
MAIS... CE N'EST PAS MOI !
?
RAT-RAT-RAT

NON ! LE VIRUS A DÉVORÉ TOUTE LA FORÊT !
IL EST EN TRAIN DE GRIGNOTER LE PIC !
CRUNCH
CRUNCH
CRUNCH
26

VOILÀ CE QUI BLOQUAIT L'ANTIVIRUS ! L'ENTRÉE DE LA GROTTE S'EST EFFONDRÉE... IL EST COINCÉ À L'INTÉRIEUR !

PENDANT QU'ON DÉBLAIE L'ENTRÉE, OCCUPE-TOI DU VIRUS !

IL EST DÉJÀ LÀ !
GNAM-GNAM

RETIENS-LE ! TU AS PLEIN DE ROCHERS LOURDS !

SLURP
YUM
EH ! C'EST LUI QUI S'OCCUPE DE MOI !
27

SLURP
OUPS !
AU SECOURS !
GASP ! LE VIRUS VA FAIRE TOMBER DONALD !
MAIS L'ANTIVIRUS EST ENFIN LIBÉRÉ !
CLANG CLANG
GNAK
TONK
GURGLE !
28

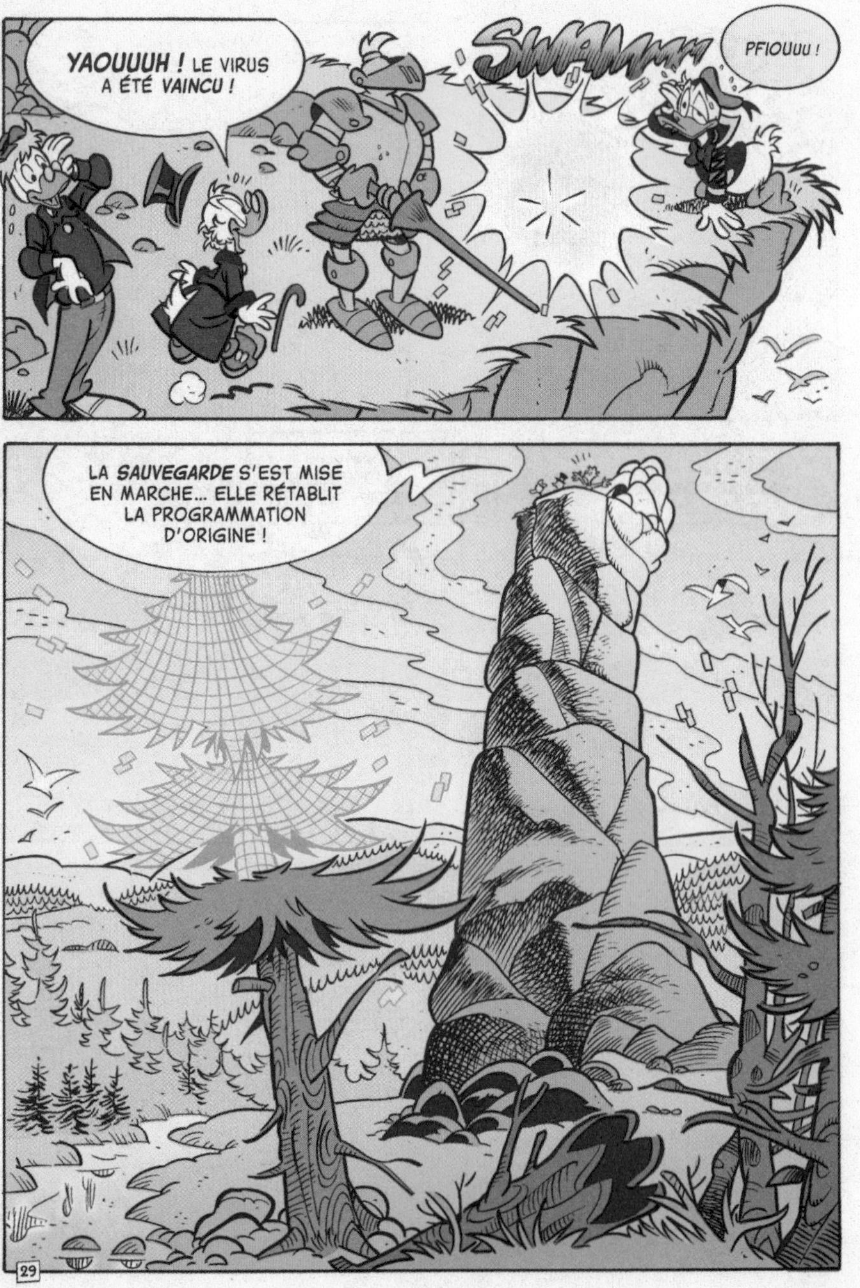

LA SAUVEGARDE S'EST MISE EN MARCHE... ELLE RÉTABLIT LA PROGRAMMATION D'ORIGINE !

29

BON, ON DEVRAIT
RETROUVER LE
PASSAGE...

... À SA PLACE ENTRE
LES ARBRES ! OUI !
SNIF !
FZZZZZ

ÇA SUFFIT COMME
ÇA ! RENTRONS À
LA MAISON !
BLUB

PLOUP

PEU APRÈS, DANS LE
LABO DE GÉO...
À CE STADE, MON INVENTION
EST RISQUÉE ! JE VAIS ESSAYER
DE LA PERFECTIONNER !
PING
ZAAAM
30

DÉSOLÉ, PICSOU ! MIEUX VAUT OUBLIER CES PROJETS JUTEUX !
HUM...

QUELQUES SEMAINES PLUS TARD...
VOIS-TU, L'IDÉE DE GÉO N'ÉTAIT PAS MAUVAISE ! JE LUI AI TROUVÉ UNE APPLICATION *SÛRE* !

MES *CARTES ÉLECTRONIQUES* SONT UNE VARIANTE DU VACANCIER ! ELLES PERMETTENT D'ENVOYER DES SOUVENIRS DE VACANCES DE PARTOUT... SANS BOUGER ! ET À MOI, DE M'ENRICHIR !
PICSOU CARTES POSTALES ÉLECTRONIQUES
GLOUPS !?
31
FIN

DES JEUX
DES JEUX
DES JEUX
DES JEUX
DÉFORMOSCOPES
Ces images déformées viennent de deux BD. Trouve les histoires et les pages dont elles sont extraites!
1
2
3
4
5
OUATE!
Solutions page 78
Conception: Virgile.
69

MOT À MOT

Remplis cette grille avec les mots de la liste. Pour t'aider, une lettre est déjà placée.

ALLER	MER
APPAREILLER	REPOS
ARRET	RETOUR
CAMPING	VACANCES
DEPART	VISITEUR
GITE	VOYAGER

PUZZLE

Sauras-tu reconstituer cette grille de mots croisés découpée en morceaux? N'hésite pas à te servir des lettres placées!

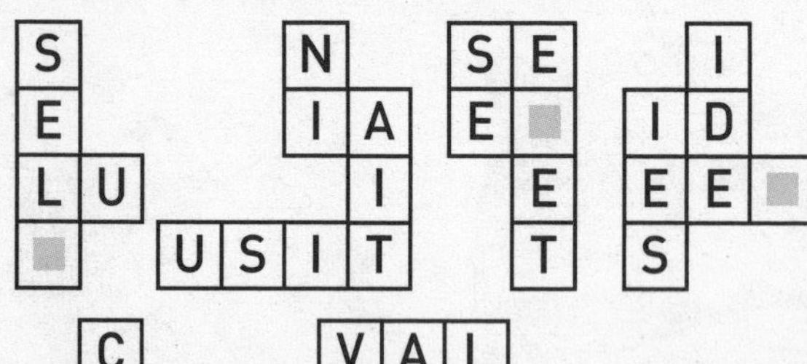

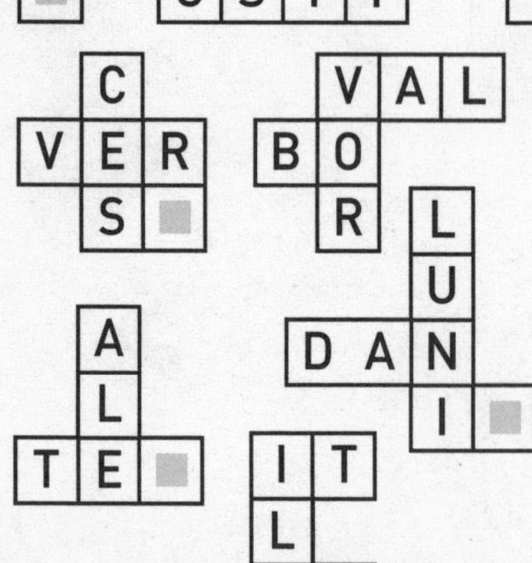

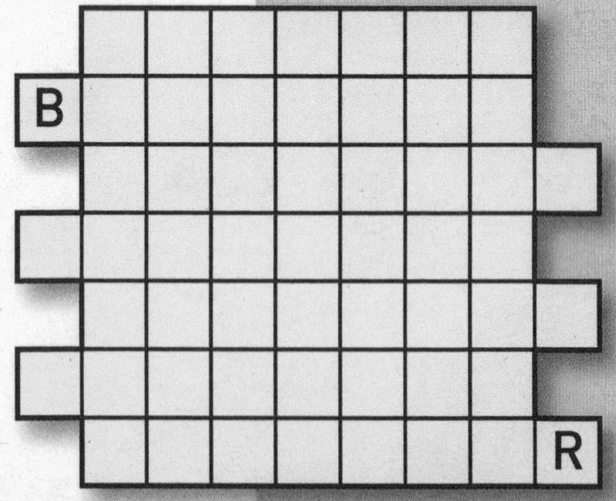

Conception: L. Mahler. Illustration: © Disney.

 • Solutions p. 78

VRAI OU FAUX

CARNET DE VOYAGES

Pas besoin d'avoir fait le tour du monde pour démêler le vrai du faux dans ces quatorze affirmations. Une gomme et un crayon suffisent. Qui a dit «chouette»?

1 Les gens du voyage sont appelés "voyagistes".

☐ VRAI ☐ FAUX

2 L'Orient-Express relie Paris à Venise en deux jours et deux nuits.

☐ VRAI

☐ FAUX

3 Le Queen Mary 2 fait le tour du monde en quatre-vingts jours.

4 On traverse la Manche en 25 mn, grâce à l'aéroglisseur (hovercraft) Calais/Douvres.

☐ VRAI ☐ FAUX

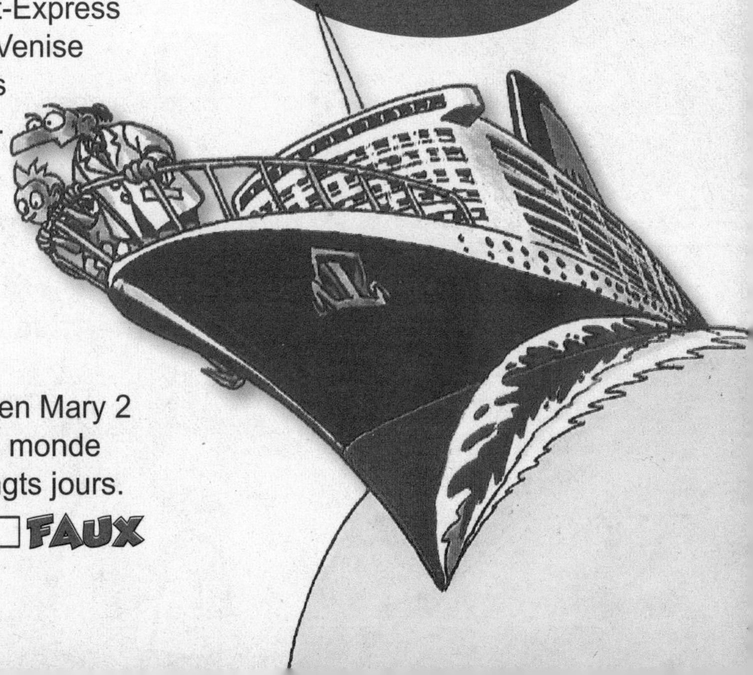

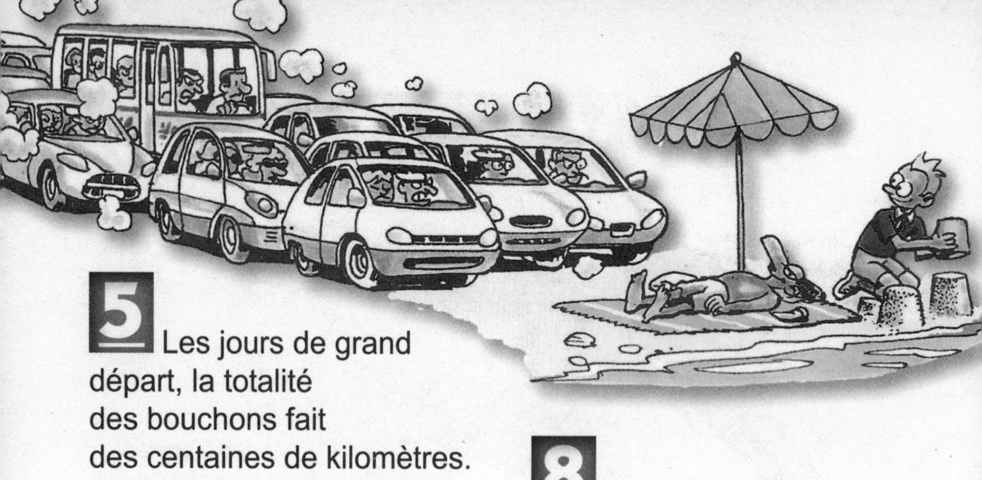

5 Les jours de grand départ, la totalité des bouchons fait des centaines de kilomètres.

☐ VRAI ☐ FAUX

6 Des croisières sont organisées en Antarctique pour chasser l'ours blanc.

☐ VRAI ☐ FAUX

7 Pour aller en avion de Paris à Rome, on passe moins de temps en vol qu'à l'aéroport.

☐ VRAI ☐ FAUX

8 Pour vingt millions de dollars, on passe une semaine en orbite à bord de la Station spatiale internationale.

9 Le caravaning est une randonnée dans le désert, à dos de chameau.

☐ VRAI ☐ FAUX

10 Un camping-car est plus rapide qu'un mobile home.

☐ VRAI
☐ FAUX

11 En 2030, le train reliera Tokyo à Osaka (550 km) en moins d'une heure.

☐ VRAI ☐ FAUX

12 Les héros du "Voyage au centre de la Terre", de Jules Verne, vont d'un volcan à un autre.

☐ VRAI ☐ FAUX

13 L'auteur de "L'île au trésor", R. L. Stevenson, a parcouru 230 km dans les Cévennes, avec un âne.

☐ VRAI ☐ FAUX

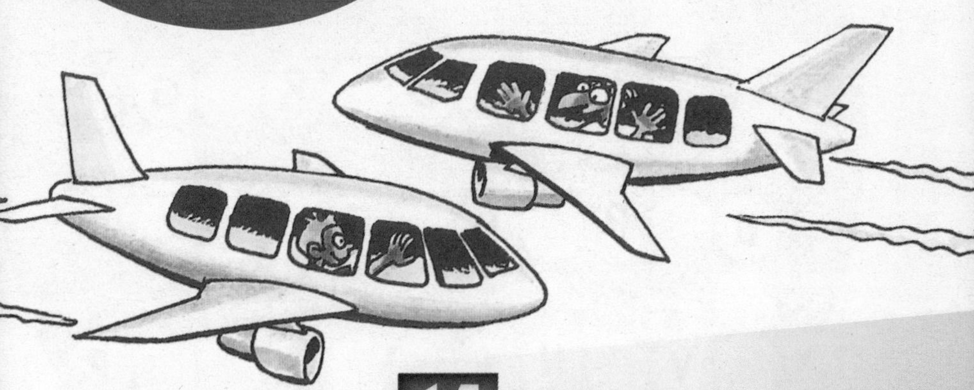

14 Le vol Paris/New York est plus long que le vol New York/Paris.

☐ VRAI ☐ FAUX

Texte et illustrations: Claude Lacroix.

SERPENTINE

1 Découvrir de nouveaux horizons.
2 Quand l'avion ou le train n'est pas en avance ou à l'heure, il est en…
3 Contraire de l'arrivée.
4 On le prend sur des rails et dans des wagons.
5 Voyager sur les flots.
6 Chemin de bitume parcouru par la voiture.
7 Partir dans un autre pays, c'est aller à l'…
8 On l'écoute sur la route des vacances.
9 Îlot de fraîcheur.
10 Boisson gazeuse rafraîchissante.
11 Fin du voyage.
12 Décollage, prise d'altitude.
13 Activité qui invite au voyage à travers les livres…
14 Volcan sicilien.

Place les bons mots dans la serpentine, sachant que la dernière lettre d'un mot est aussi la première du mot suivant. Aide-toi des définitions ci-contre et trouve le plus de mots possible!

 • Solutions p. 78

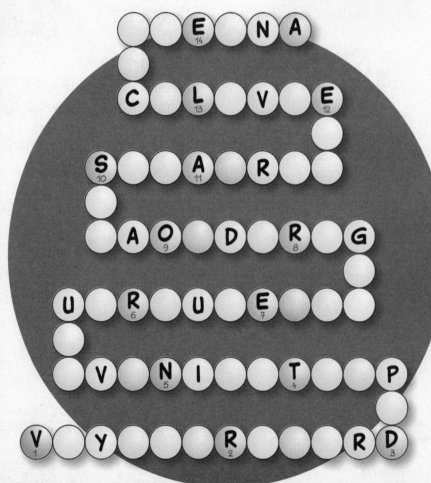

LABY CASE

Sans jamais aller en diagonale, trouve le seul chemin qui permettra à notre plaisancier de finir sa promenade. Mais attention, il ne peut avancer dans une case que si elle contient un animal identique à la case d'où il vient!

Conception: Moko.

LES CIBLES

Découvre la lettre centrale et commune aux quatre mots qui composent chaque figure. Puis, en rassemblant ces six lettres, tu découvriras quelqu'un qui voyage sans se déplacer.

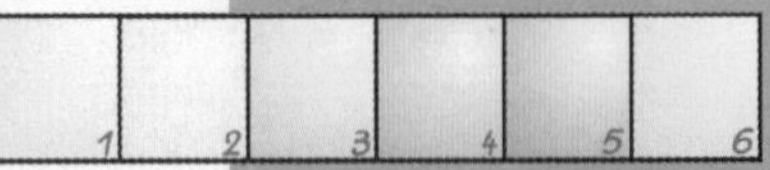

BIFTOU

Retrouve, dans la grille, les mots de la liste à l'horizontale, à la verticale, en diagonale ou à l'envers. Une lettre peut servir plusieurs fois. Il restera cinq lettres qui formeront un mot.

ARRIVEE
AVION
BAGAGES
BATEAU
CARTE
ETRANGER
GARE
HOTEL
MONDE
NAVIGUER
PASSEPORTS
PAYS
QUAI
REGION
ROUTE
SUD
TRAFIC
VACANCES
VOITURE
VOYAGER

B	V	A	C	A	N	C	E	S	H	E	S
E	A	N	O	I	V	A	R	O	T	T	T
R	M	G	G	A	R	E	T	U	V	R	R
U	O	N	A	R	U	E	O	E	O	E	O
T	N	C	O	G	L	R	P	E	Y	G	P
I	D	C	I	I	E	A	A	V	A	N	E
O	E	V	A	F	G	S	Y	I	G	A	S
V	A	U	I	R	A	E	S	R	E	R	S
N	Q	D	U	S	T	R	R	R	R	T	A
B	A	T	E	A	U	E	T	A	N	E	P

 • Solutions p. 78

OÙKISON?

Retrouve l'inspecteur Froggy (au chapeau jaune moutarde, entouré d'un bandeau un peu plus foncé, enfoncé jusqu'aux yeux), Momo la Cavale (au tatouage en forme d'étoile sur la joue gauche), les triplés (à la cicatrice située au même endroit) et quatre avions en papier.

SOLUTIONS DES JEUX

P. 69 DÉFORMOSCOPES

"Donald et les garçons".
1 - *P. 294, 2e case.* **3** - *P. 286, 4e case.*
5 - *P. 275, 4e case.*
"Alerte au Bigodou".
2 - *P. 159, 6e case.* **4** - *P. 158, 2e case.*

P. 70 MOT À MOT

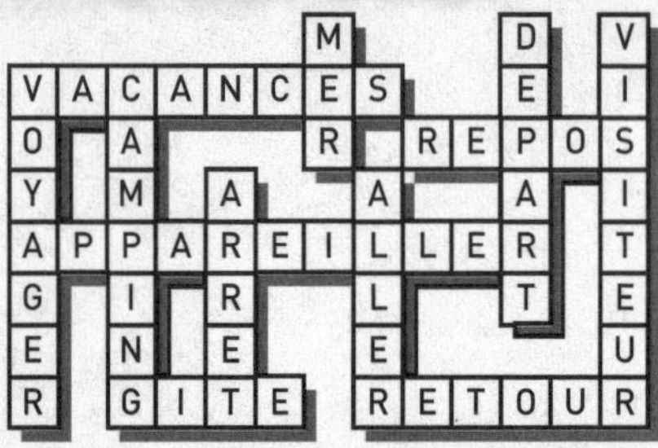

P. 70 PUZZLE

V A L I S E S
B O L I D E ■ E
R U E E ■ E L U
D A N S A N T ■
C I ■ L I A I T
V E R T E ■ I L
S ■ U S I T E R

P. 71 VRAI OU FAUX

1 Faux. *Les voyagistes vendent des voyages organisés.*
2 Vrai. *Cet hôtel de luxe roulant passe par Vienne, Prague, Budapest…*
3 Faux. *Il faut passer cent huit nuits à bord.*
4 Faux. *La ligne Calais/Douvres, en aéroglisseur, a disparu en 2000.*
5 Vrai. *Les bouchons cumulés peuvent atteindre plus de 700 km.*
6 Faux. *Il n'y a pas d'ours blanc en Antarctique.*
7 Vrai. *Il faut se présenter deux heures avant le départ. Le vol dure moins de deux heures.*
8 Vrai. *Sept touristes ont déjà payé ce prix, qui inclut l'entraînement de cosmonaute et le lancement depuis Baïkonour au Kazakhstan.*
9 Faux. *Le caravaning consiste à tirer une remorque habitable.*
10 Vrai. *Le mobile home n'est pas motorisé.*
11 Vrai. *Le Chuo Shinkansen, futur train à grande vitesse, sera à lévitation magnétique.*
12 Vrai. *Du Sneffels en Islande au Stromboli en Italie.*
13 Vrai. *R. L. Stevenson a relaté ce parcours (devenu le GR 70) dans "Voyage avec un âne dans les Cévennes". L'ânesse s'appelait Modestine.*
14 Vrai. *D'au moins une demi-heure.*

P. 74 SERPENTINE

1. *Voyager* - **2**. *Retard* - **3**. *Départ* - **4**. *Train* - **5**. *Naviguer* - **6**. *Route* - **7**. *Étranger* - **8**. *Radio* - **9**. *Oasis* - **10**. *Soda* - **11**. *Arrivée* - **12**. *Envol* - **13**. *Lecture* - **14**. *Etna.*

P. 75 LABY CASE

P. 76 LES CIBLES

Tu as écrit le mot: ***rêveur.***

P. 76 BIFTOU

Le dernier mot est: ***train.***

P. 77 OÙKISON?

Gros plan sur...

... FANTOMIALD: LE GRAND SOMMEIL

L'intrigue...

En neutralisant des robots, Fantomiald est atteint par une bombe. L'histoire s'arrête... mais elle reprend et on découvre alors Donald sur un lit d'hôpital. L'histoire peut commencer...

Titre original

"Paperinik a un passo dall'oblio", dans l'hebdo italien "Topolino" n° 2877 (2011).

Scénaristes

Carol & Pat McGreal (USA). Tante Carol et Onc'Pat écrivent, souvent en tandem, des histoires Disney. Dès les années 90, ils collaborent avec Egmont, l'autre grand éditeur (danois) de BD Disney.

Dessinateur

Andrea Freccero (Italien, né en 1968). Initié à la BD Disney par Giorgio Cavazzano, sa première histoire, "Topolino e il "grosso" caso" dans "Topolino" n° 1775 (1989), reste inédite en France. Son Donald, survolté, est un modèle du genre.

Mini-mémo
Fantomiald au microscope

- 1969, il apparaît dans "Paperinik il diabolico vendicatore" d'Elisa Penna, Guido Martina et Giovan Battista Carpi, dans "Topolino" n° 706 et "Mickey Parade" n° 1166 bis (1974).
- Il voit le jour grâce à E. Penna, rédactrice en chef de "Topolino". À l'époque, les lecteurs trouvaient que Donald était trop malchanceux. (Ah?)
- C'est le personnage que vous réclamez le plus. Trop fort, le super héros!

FANTOMIALD
LE GRAND SOMMEIL

WALT DISNEY

ARGH ! CES BESTIOLES EN ONT APRÈS MOI ET JE NE VOIS PAS DU TOUT COMMENT LEUR ÉCHAPPER !

D'OÙ VIENNENT CES MYSTÉRIEUX ROBOTS ? POURQUOI S'ACHARNENT-ILS CONTRE FANTOMIALD ?

1

I-D-2010-002

Scénario: C. & P. McGreal - Dessins: A. Freccero

POUR LE SAVOIR, RETOURNONS DANS LE PASSÉ, UNE HEURE AVANT !
JE VAIS SANS DOUTE METTRE MON ESTOMAC EN DANGER...

... MAIS IL NE ME RESTE QUE DES ANCHOIS, DE LA CHOUCROUTE, DES CORNICHONS ET DE LA GLACE !

MIAM ! PAS MAL, FINALEMENT ! JE PRÉPARERAI BIEN LA MÊME CHOSE AUX ENFANTS, À LEUR RETOUR DE CAMPING !

NOUS INTERROMPONS NOTRE PROGRAMME POUR VOUS DONNER UNE NOUVELLE ALARMANTE ! DES ROBOTS GÉANTS SÈMENT LA PANIQUE DANS LE CENTRE DE DONALDVILLE !
PONY
2

GLOUPS ! C'EST UNE MISSION POUR FANTOMIALD, ÇA !

DIS ADIEU
À TON
SAMEDI SOIR
DE DÉTENTE,
VIEUX...

... QUAND LE DEVOIR L'APPELLE,
JAMAIS LE HÉROS DE LA VILLE NE
SE DÉROBE ! PAS MÊME LE SOIR
DE LA FINALE DES CHAMPIONS !

LES MÉCHANTS NE
PRENNENT DONC JAMAIS
DE CONGÉS ? À LA TÉLÉ,
ON PARLAIT DE ROBOTS
GIGANTESQUES...
DU JAMAIS VU !
CLAC

BAH ! IL Y AURA
SÛREMENT QUELQUE
CHOSE D'INTÉRESSANT,
DANS LES DERNIÈRES
INVENTIONS QUE GÉO
M'A FOURNIES !

IL A
BIEN FAIT DE
LES *COUDRE* DANS
MA TENUE. JE NE
LES RETROUVERAIS
JAMAIS, DANS
CE FATRAS !

AH, CHER VIEUX COSTUME ! COMPAGNON DE TOUTES MES AVENTURES ! QUE FERAIS-JE SANS TOI ET TES PETITS GADGETS ?
4

BON, ASSEZ DE MANIÈRES ! L'HEURE EST À L'ACTION !

GRÂCE À LA SORTIE QUI DÉBOUCHE DANS LES ÉGOUTS, J'Y SERAI EN UN ÉCLAIR ! SI ONCLE PICSOU DÉCOUVRAIT TOUTES LES *MODIFICATIONS* QUE J'AI FAIT SUBIR À SA MAISON, IL ME METTRAIT DEHORS !
5
KABOOM
AÏE ! ÇA BRÛLE !
OH ! JE SUIS ARRIVÉ À DESTINATION ! VOILÀ LES TAS DE FERRAILLE ! EN EFFET, ILS SONT TRÈS AGRESSIFS ! IL EST TEMPS DE LEUR APPRENDRE LES *BONNES MANIÈRES* !

JE VAIS ATTIRER LEUR ATTENTION POUR PERMETTRE AUX DONALDVILLOIS DE SE METTRE À L'ABRI !
TOING

EH ! GROS PATAPOUFS EN FER-BLANC ! APPROCHEZ !

OUAC ! DES RAYONS LASER ! ALORS VOUS AIMEZ LES ARMES LOURDES ?
ZAAAP
6

PFFF ! LÀ, ILS S'ACHARNENT UN PEU TROP !

J'AI BIEN PEUR DE NE PLUS POUVOIR ÉVITER LEURS TIRS ENCORE LONGTEMPS !

LE MOMENT EST VENU D'ESSAYER LES DERNIÈRES OPTIONS DE MA TENUE, EN COMMENÇANT PAR LE... *BOUCLIER À PLASMA* !
ZOOOT
7

AAHA ! INUTILE DE VOUS OBSTINER ! VOS YEUX DE FEU NE PEUVENT PLUS M'ATTEINDRE !
SWOOOSCH

PASSONS À LA CONTRE-ATTAQUE ! MONTREZ-MOI COMMENT COMBATTRE CES PETITS VIRUS ÉLECTRONIQUES !

HIN, HIN ! TU AS MAUVAISE MINE, L'AMI ! TU NE TE SENS PAS BIEN ?

SUIS MON CONSEIL ! QUAND ON SE SENT MAL, LE PREMIER TRUC À FAIRE EST DE...
8

… S'ALLONGER ! OH ! DÉSOLÉ ! JE N'AI PAS DE COUVERTURE !
CRAAAASH

CE FUT DUR, MAIS J'AI RÉUSSI À VAINCRE CES PANTINS !
9

PASSONS À LA PHASE SUIVANTE, ET TÂCHONS DE SAVOIR QUI EST LE MARIONNETTISTE !

OUPS ?
PAN
TONK

ARGH ! MAIS C'EST... UNE BOMBE À RETARDEMENT ! COMMENT...

...
0000

BOUUUM
NOON !

10

AAAH...
OOOH...

QUE S'EST-IL PASSÉ ? OÙ...

HEIN ? LA FAMILLE ?
BON RÉVEIL, CHÉRI ! ON A BEAUCOUP PENSÉ À TOI !
ILS ONT INSISTÉ POUR TE TRANSPORTER ICI, MAIS JE SAVAIS QUE TU T'EN TIRERAIS AVEC UNE BOSSE ! UNE BONNE NUIT DE REPOS TE REMETTRA D'APLOMB !

AHEM... J'AI COMME UN TROU DE MÉMOIRE. OÙ M'AVEZ-VOUS TROUVÉ, EXACTEMENT ? EST-CE QUE JE PORTAIS DES HABITS INSOLITES ?
11

TU ES TOMBÉ DANS L'ESCALIER, EN GLISSANT SUR NOTRE SKATEBOARD !
SI POUR TOI, PYJAMA ET PANTOUFLES SONT "INSOLITES", COMPARÉS À TON HABITUELLE MARINIÈRE, ALORS OUI !

DONC, J'ÉTAIS À LA MAISON ?
PLUS PRÉCISÉMENT AU TÉLÉPHONE AVEC MOI, MON BICHON ! BISOU !

BON ! COMME LE PATIENT EST RÉVEILLÉ ET QU'IL N'A PAS DE TRAUMATISME, IL PEUT SORTIR AUJOURD'HUI !
NOUS NOUS OCCUPERONS DE LUI !

POUR PAYER TON TRANSPORT, TU VIENDRAS DEMAIN EFFECTUER QUELQUES TÂCHES... BLA, BLA...

BIZARRE, C'EST ICI QUE J'AI COMBATTU CES MAUDITS ROBOTS... POURTANT IL NE RESTE AUCUNE TRACE DE LEUR PRÉSENCE !

$1

12

ET SI LES ENFANTS, DAISY ET ONCLE PICSOU AVAIENT DÉCOUVERT ***MON IDENTITÉ SECRÈTE,*** ILS N'AURAIENT PAS L'AIR AUSSI NATURELS !
CONTENT DE TE REVOIR À LA MAISON, TONTON CHÉRI !
TU N'AS ÉTÉ ABSENT QUE QUELQUES HEURES, MAIS C'ÉTAIT DÉJÀ TROP !

NE PENSE QU'À TE DÉTENDRE POUR REPREN-DRE DES FORCES !
ON MONTE FAIRE NOS DEVOIRS ! RESTE DEVANT LA TÉLÉ !

COMMENT POURRAIS-JE ***ME DÉTENDRE ?*** JE NE COMPRENDS RIEN À CETTE HISTOIRE !

NOUS INTERROMPONS NOTRE PROGRAMME POUR UNE NOUVELLE EXTRAORDINAIRE...
PONY
13

FANTOMIALD VA-T-IL ***ENCORE*** DEVOIR INTERVENIR ?

VITE ! EN ME DÉPÊCHANT, JE RÉGLERAI LE PROBLÈME ET JE RENTRERAI AVANT QUE LES ENFANTS SE SOIENT APERÇUS DE MON ABSENCE !

HEIN ? OÙ EST PASSÉ MON ASCENSEUR SECRET ?

JE LE CHERCHERAI PLUS TARD. EN ATTENDANT, JE PRENDRAI CELUI DU SOUS-SOL !

SACRÉ BON SANG !

QU'EST DEVENUE MA DOUBLE PAROI ? ET MES APPAREILS SPÉCIAUX ? JE NE VOIS PAS NON PLUS MA TENUE DE SUPER HÉROS !
14

IL Y A FORCÉMENT UNE EXPLICATION ! TOUT ÇA N'A PAS PU DISPARAÎTRE DU JOUR AU LENDEMAIN !

QUE FAITES-VOUS ICI ? N'AVEZ-VOUS PAS DE DEVOIRS À FAIRE ?
IL PARAÎT QU'IL Y A EU UN *INCENDIE*...

... DANS LA ZONE PORTUAIRE !
MAIS LES POMPIERS SONT ARRIVÉS À TEMPS ! LE FEU EST PRESQUE ÉTEINT !
OUF ! HEUREUSEMENT !
PONY

SINON, FANTOMIALD SERAIT SANS DOUTE INTERVENU !
QUI EST FANTOMIALD ?
15

C'EST MARRANT ! ON DIRAIT LE NOM D'UN SUPER HÉROS DE BD !
...

ÇA DEVIENT DE PLUS EN PLUS BIZARRE ! GÉO M'EXPLIQUERA PEUT-ÊTRE CE QUI SE PASSE ! APRÈS TOUT, C'EST *LUI* L'INVENTEUR DU REFUGE SECRET !
GÉO TROUVETOU
ROI DES INVENTEURS

GÉO ! TU AS FAIT DES TRAVAUX DANS MA MAISON, SANS ME PRÉVENIR, CE QUI M'ÉTONNE DE TOI ! JE N'AI ÉTÉ ABSENT QU'UN JOUR, ET...
OUVERT
HEIN ? DE QUOI PARLES-TU ?

J'AI PASSÉ CES DERNIÈRES SEMAINES *ENFERMÉ* DANS MON ATELIER POUR ACHEVER L'INVENTION QUE JE VAIS PRÉSENTER À LA FOIRE DES INVENTEURS !

ÇA M'INQUIÈTE ! LUI NON PLUS NE SEMBLE PAS SE SOUVENIR DE FANTOMIALD ! AURAIENT-ILS TOUS PERDU LA MÉMOIRE ?
JE VAIS VÉRIFIER ÇA AUPRÈS D'ONCLE PICSOU !
16

DIS-MOI, ONCLE PICSOU, À QUI DEMANDERAIS-TU DE L'AIDE, SI TU ÉTAIS *EN DANGER* ?
PARDON ? DANS QUEL *PÉTRIN* T'ES-TU ENCORE FOURRÉ ?

J'EFFECTUE UN SONDAGE POUR "PICSOU-SOIR" ! QUI PROTÈGE LA VILLE CONTRE LES MALFAITEURS ?
ENFIN, DONALD ! LA *POLICE*, ÉVIDEMMENT !

ET SI SES EFFECTIFS SONT INSUFFISANTS ?
ALORS CE SERAIT AU *MAIRE* DE DÉCIDER ! QUI SAIT ? PEUT-ÊTRE LÂCHERAIT-IL DES *CHIENS POLICIERS* !

DIS-MOI, DAISY, QUEL EST TON *HÉROS* PRÉFÉRÉ ? EST-CE QUE JE LE CONNAIS ?
OH, OUI ! ÉVIDEMMENT...

... PUISQUE C'EST TOI QUI M'AS EMMENÉE VOIR *SPIDERDONALD III*, AU CINÉMA !
17

MAIS CE N'EST QU'UN PERSONNAGE DE FICTION !
CELA T'ÉTONNE ? DES HÉROS DE CETTE TREMPE N'EXISTENT PAS DANS LA RÉALITÉ, VOYONS !

PFFF ! JE N'Y COMPRENDS PLUS RIEN ! JE COMMENCE MÊME À ME DEMANDER SI CE N'EST PAS MOI QUI AI PERDU LA BOULE !
VOUS SEMBLEZ ABATTU, L'AMI ! UNE PETITE BD VOUS REMONTERAIT LE MORAL !

UNE BANDE DESSINÉE ?
NE ME DITES PAS QUE VOUS NE CONNAISSEZ PAS LE HÉROS MASQUÉ !

C'EST DONC DE CELA QU'IL S'AGIT : UN HÉROS DE BD, C'EST TOUT !
QU'AVIEZ-VOUS CRU ?
COMIX

24 HEURES SUR 24, JE VEILLE !
HUM... OUI... EN EFFET, QUELLE IDÉE !
18

CETTE CHUTE DANS L'ESCALIER A DÛ ME TROUBLER L'ESPRIT, ET M'A FAIT CROIRE QUE J'ÉTAIS UN HÉROS ! C'ÉTAIT UN RÊVE, VOILÀ TOUT. MAIS JE TROUVE QU'IL A DURÉ DRÔLEMENT LONGTEMPS...

EXACT, FANTOMIALD ! CE N'EST QU'UN *RÊVE* !

UN RÊVE DANS LEQUEL *MOI*, LE *GÉNIAL DOCTOR SOMNANBUL*, JE T'AI *EMPRISONNÉ* ! UNE *CAGE DORÉE* DONT TU NE *SORTIRAS*...

... PLUS JAMAIS !

HÉ ! HÉ ! NOMBREUX SONT CEUX QUI ONT ESSAYÉ DE TE BATTRE, MAIS MOI SEUL PEUX ME VANTER D'AVOIR RÉUSSI ! ET CELA N'A MÊME PAS ÉTÉ DIFFICILE !

"J'AI COMMENCÉ PAR DÉCOUVRIR TA VÉRITABLE IDENTITÉ, GRÂCE AU RÉVÉLATEUR DE PERSONNALITÉ..."
"... UN APPAREIL DE MON INVENTION QUI M'A PERMIS D'ASSOCIER LE HÉROS MASQUÉ À UN CITOYEN LAMBDA PORTANT LE NOM DE DONALD !"
"EN TE SURVEILLANT, J'AI VÉRIFIÉ QUE, MALGRÉ LES APPARENCES, TU ÉTAIS BIEN LE CÉLÈBRE FANTOMIALD !"
"ENSUITE, CE FUT UN JEU D'ENFANT DE T'ATTIRER DANS UN PIÈGE. APRÈS, JE T'AI PLONGÉ DANS UN SOMMEIL PROFOND, GRÂCE À MA BOMBE SOPORIFIQUE !"
UN SOMMEIL DONT TU NE SORTIRAS PLUS, CAR J'AI RÉUSSI À CONSTRUIRE UNE RÉALITÉ PARALLÈLE IDENTIQUE À LA TIENNE... OÙ FANTOMIALD N'EXISTE PAS !
ET PENDANT QUE TU DORS, JE VAIS CONQUÉRIR CETTE VILLE !
20

CEPENDANT...
GRRR ! INUTILE ! MÊME UN POT ENTIER DE MA GLACE PRÉFÉRÉE NE RÉUSSIT PAS À ME RÉCONFORTER !
ICE CREAM
SOIS PATIENT, TONTON CHÉRI ! BIENTÔT, TU TE SENTIRAS MIEUX !
TU N'AS MÊME PAS VU NOS BULLETINS TRIMESTRIELS !

ON A EU LES ENCOURAGE-MENTS !
A
LIS-LES TRANQUILLEMENT PENDANT QU'ON RANGE ET QU'ON PRÉPARE LA CUISINE, TONTON CHÉRI !

DEPUIS QUAND LES ENFANTS SONT-ILS DEVENUS SERVIABLES ? ILS NE TOUCHENT PLUS À LEURS JEUX VIDÉO, ET LÀ...

... ILS PROPOSENT SPONTANÉMENT LEUR AIDE ! QUELQUE CHOSE M'ÉCHAPPE !
♪ TRALALLALALÈRE... CHANTER EN TRAVAILLAAAANT... ♪
21

ET SURTOUT... DEPUIS QUAND EST-CE QUE CES PETITS SCORPIONS M'APPELLENT "TONTON CHÉRI" ? UMPF ! UN TRUC CLOCHE !

BAH !
JE ME FAIS PEUT-ÊTRE DES IDÉES ! UNE PROMENADE M'AÉRERA LES NEURONES ET M'AIDERA À RÉFLÉCHIR !

GÉO TROUVETOU
ROI DES INVENTEURS
TIENS ! GÉO A *CHANGÉ* D'ENSEIGNE ?

EUH... BONJOUR, GÉO ! JE SUIS VENU M'EXCUSER ! J'AI DÛ TE PARAÎTRE UN PEU FARFELU HIER, N'EST-CE PAS ?
OH, NON ! PAS DU TOUT !... EXCUSE-MOI, MAIS J'AI DU TRAVAIL !

JE SENS QUE CETTE INVENTION M'APPORTERA *L'ARGENT* ET LA *GLOIRE* QUE JE MÉRITE !
OH ?!
22

BIZARRE... GÉO N'A JAMAIS EXPRIMÉ LE DÉSIR D'ÊTRE *RICHE* ET *CÉLÈBRE* ! AIDER AUTRUI SEMBLAIT SUFFIRE À SON BONHEUR !

ME VOICI, ONCLE PICSOU ! JE SUIS PRÊT POUR CE TRAVAIL QUE TU VOULAIS ME REFIL... EUH... ME *CONFIER* !
CE N'EST PAS LE MOMENT, DONALD ! REPASSE PLUS TARD !
ALLEZ-VOUS-EN !
DEHORS !

MON AMI FLAIRSOU M'ATTEND POUR LE THÉ ! BAPTISTE, TU T'ARRÊTERAS À LA STATION D'ESSENCE POUR FAIRE LE PLEIN !
SON *CHER AMI* ?! LE *PLEIN* ?!

VRAIMENT BIZARRE ! LE MONDE TOURNE À *L'ENVERS*, MA PAROLE !
OUST !

IL Y A TROP DE CHOSES CURIEUSES... TROP DE DÉTAILS QUI NE CADRENT PAS !
23

J'AI L'IMPRESSION D'ÊTRE DANS UN *FILM* DONT MES AMIS ET MA FAMILLE SERAIENT LES *ACTEURS* ET LA VILLE UN *DÉCOR* !

HUM... UN FILM OU UN *CAUCHEMAR* ? ET SI C'EST ÇA, JE NE VOIS QU'UNE SEULE FAÇON DE M'EN SORTIR !

LE COMBATTRE PAR *L'ESPRIT* ! CRÉER UNE *BRÈCHE* DANS CE MONDE HOLOGRAPHIQUE !

UNE ISSUE DE SECOURS, MÊME MINUSCULE, QUI SOIT *MODIFIABLE* ! HUM...
24

UN *PETIT* ESPACE QUI, MODELÉ AVEC UN PEU D'*IMAGINATION*...

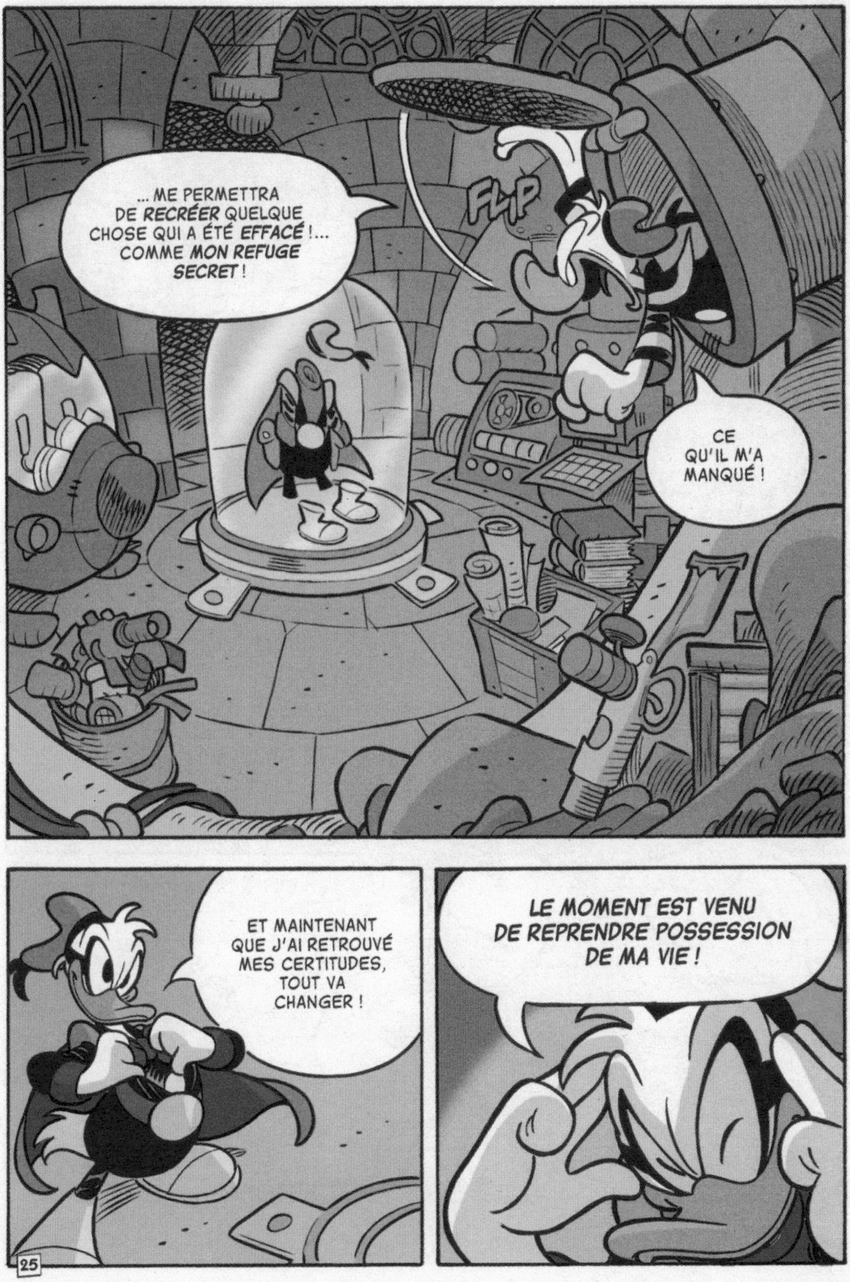

... ME PERMETTRA DE *RECRÉER* QUELQUE CHOSE QUI A ÉTÉ *EFFACÉ* !... COMME *MON REFUGE SECRET* !
FLIP
CE QU'IL M'A MANQUÉ !

NON ! C'EST IMPOSSIBLE ! COMMENT AS-TU RÉUSSI À TE RÉVEILLER ?
AINSI, J'AVAIS RAISON ! UN SAVANT SANS SCRUPULE, UN CRIMINEL, SE CACHAIT DERRIÈRE MON AMNÉSIE !
TU NE SAIS PAS DE QUOI TU PARLES !
INUTILE DE NIER L'ÉVIDENCE ! RENDS-TOI, SCIENTIFIQUE DE BAS ÉTAGE !
26

JE M'APPELLE DOCTOR SOMNANBUL, ESPÈCE DE GUIGNOL EN COLLANTS !
ET SACHE, POUR TA GOUVERNE, QUE JE N'AI AUCUNE INTENTION DE ME RENDRE !
?!
TES RAYONS ME CHATOUILLENT À PEINE ! ILS M'EFFLEURENT, JUSTE ! ET HOP ! JE LES DÉSINTÈGRE !
KAZAAAM
FFF
TROUVE AUTRE CHOSE DE MIEUX POUR M'ATTAQUER, L'AMI !
GRRR! À TES ORDRES, BOUFFON !
27

WIIISCH
ARGH !
OH ! TU AS CHANGÉ DE MUSIQUE...
CRAAASH
... MAIS CELLE-CI N'EST PAS À MON GOÛT ! JE PRÉFÈRE LES RYTHMES *PLUS GAIS*, ET...
WOUUUSCH
28

AAAH !
CRAC

... CETTE SUCCESSION DE GAMMES ET D'ACCORDS PLUS HARMONIEUX DEVRAIENT TE RAVIR, DÈS LA PREMIÈRE ÉCOUTE !
OUPS !

LIBÈRE-MOI SUR LE CHAMP OU JE RÉVÈLE AU MONDE TA VÉRITABLE IDENTITÉ !
NON, TU NE FERAS PAS ÇA !

JE VAIS EFFACER TOUT ÇA DE TA MÉMOIRE, GRÂCE À MA "SUPER-ÉOLIENNE" !

UNE PETITE VERSION AMÉLIORÉE DE CELLES DE NOTRE ENFANCE ! HÉ ! HÉ !
VRRR
29

GLIP ! QUI SUIS-JE ? OÙ SUIS-JE ?
CALME-TOI, LA POLICE RÉPONDRA À TOUTES TES QUESTIONS ! QUANT À MOI...

"... J'AI MIEUX À FAIRE !"
PRENEZ GARDE, VOLEURS ET MALFRATS DE TOUTES SORTES !
FANTOMIALD EST DE RETOUR !
FIN
30

Publicité
Avec Disney XD,
prends la vague
PHINEAS & FERB !
Disney
Phinéas
et
Ferb
Disney
XD
A VOIR SUR DISNEY XD
DISNEYXD.FR
numericable
CANALSAT
Retrouve un max de jeux délires Phineas et Ferb sur Disney.fr

DINGO REPORTER
La perle du fleuve

I-2835-2

DU COURRIER POUR LE MAIRE !
JE LE LUI APPORTE TOUT DE SUITE. MERCI !

CLAIRE LABELLE ?
C'EST MOI ! MERCI !

1

Scénario: T. Radice - Dessins: S. Turconi

UNE LETTRE DE MINNIE ? ENFIN, DES NOUVELLES D'ELLE !

ÇA FAIT PLUSIEURS SEMAINES QU'ELLE A DÉMÉNAGÉ DANS LE SUD ET...
CLICK

... ELLE M'INVITE À VENIR CE WEEK-END ! IL Y A MÊME UN BILLET DE TRAIN !
TICKET
TICKET

PEREPEEEEEEE
AH, LE SUD ! LE GRAND FLEUVE ! LES BATEAUX À VAPEUR ! LE JAZZ !

AAAH... LE SWING ! J'ENTENDS DÉJÀ...
BLING

... BLING ?
EUH... BONJOUR !
BAKED BEANS

2

LISEZ-VOUS DANS LES BOÎTES DE HARICOTS ?
HARICOTS, POIS CHICHES, PETITS POIS, MAÏS...

QUE DÉSIREZ-VOUS SAVOIR ?
AHEM !... CES DERNIERS TEMPS, TOUT VA DE TRAVERS... EUH... AU *TRAVAIL*... ET JE ME DEMANDAIS...

JE ME DEMANDAIS...
DI-DOUM-DA-DADI-DOUM...

DU **JAZZ** ! FASCINANT, NON ? ÉCOUTEZ CE SUPERBE FINAL !
PEREPEEEEEEEEEEE
?
3

AAAH ! QUEL BONHEUR, CHERS AUDITEURS ! VOUS AUREZ RECONNU UN DES PREMIERS SUCCÈS DU TROMPETTISTE **DANNY WOODMAN** !

ON NE PARLAIT PLUS DE LUI ! ON DISAIT QU'IL AVAIT PERDU L'INSPIRATION ! MAIS IL NOUS REVIENT EN GRANDE FORME...
AH ! INTÉRES-SANT...
BAKED BEANS

CE CHER DANNY A ANNONCÉ QUE CE WEEK-END, JUSTEMENT, IL PRÉSENTERAIT AU PUBLIC SA TOUTE NOUVELLE PERLE DU FLEUVE !
AAHA ! INTÉRESSANT...

OÙ AI-JE ENTENDU PARLER DE CETTE PERLE DU FLEUVE ? DANS UN JOURNAL, IL Y A QUELQUES ANNÉES, JE CROIS...

SI JE RÉUSSISSAIS UN COUP INOUBLIABLE, CE SERAIT L'OCCASION DE ME RACHETER AUX YEUX DU CHEF ! J'EN AI BESOIN !
LE RENDEZ-VOUS EST FIXÉ DANS UN LOCAL FLOTTANT SUR LE GRAND FLEUVE, COMME IL SIED À UN MUSICIEN DE JAZZ ! À PRÉSENT, PASSONS À...
BAKED BEANS

JE VOUS DEMANDE PARDON ! QUE VOULIEZ-VOUS DÉJÀ ?
CLICK
4

UN TÉLÉPHONE ! EXCUSEZ-MOI, MAIS JE DOIS FILER !
?
BAKE BEAN

IL N'EN EST PAS QUESTION !
OUPS !

VU LES ÉCHECS CUISANTS QUE VOUS COLLECTIONNEZ CES DERNIERS TEMPS, QU'EST-CE QUI ME PROUVE...

... QUE VOUS NE CHERCHEZ PAS UNE EXCUSE POUR PRENDRE DES VACANCES À MES FRAIS ?
IL EST CHOUETTE MON MAILLOT À RAYURES, HEIN, CHEF ?

LÀ, C'EST DIFFÉRENT ! CE SERA UN SUPER COUP ! NOUS AVONS ASSEZ D'INFORMATIONS POUR ÊTRE AU BON ENDROIT AU BON MOMENT !
TIN TIN

NOUS LUI VOLERONS SA PERLE DU FLEUVE, À CE WOODMAN !
SPOUT ! T-TU AS DIT... PERLE DU FLEUVE ?
5

RESTE EN LIGNE...
AYEZ CONFIANCE, CHEF ! PAT N'A JAMAIS ÉTÉ AUSSI EN FORME !

TOI !
MOI ?

DESCENDS AUX ARCHIVES ET RAPPORTE-MOI TOUS LES NUMÉROS QUI PARLENT D'UNE CERTAINE *PERLE DU FLEUVE* !
OK ! J'Y COURS, CHEF !

CRÈME SOLAIRE OU CRÈME AU CHOCOLAT ?
TAP TAP

TAP TAP TAP

CANOTIER OU CASQUETTE ?

VOUS PERMETTEZ ?
LIFE

6

VOILÀ, PATRON !
TOUSS ! TOUSS ! AH, ENFIN !
SBONF

UN PÊCHEUR TROUVE UNE PERLE GÉANTE DANS LE VENTRE D'UN POISSON
the Morning Bl
L'INESTIMABLE PERLE DU FLEUVE
LA PERLE DU FLEUVE EXPOSÉE AU MUSÉE DE LA VILLE
C'EST BIEN CE QU'IL ME SEMBLAIT...

... ELLE EST PASSÉE DE MAIN EN MAIN, DANS DES MUSÉES, PUIS ON A PERDU SA TRACE...
JE PEUX M'EN ALLER ?

J'AI UN TRAIN À PRENDRE...
MOI, J'AI QUELQU'UN AU BOUT DU FIL ! SAUVE-TOI !

SBAM
D'ACCORD ! ALLEZ LÀ-BAS ! VOUS TROUVEREZ UN VÉHICULE À VOTRE DISPOSITION, À LA GARE !
7

ET SI VOUS NE REVENEZ PAS AVEC LA PERLE...

"... PAS LA PEINE DE REMETTRE LES PIEDS ICI !"
"VOUS TROUVEREZ UN VÉHICULE À VOTRE DISPOSITION, À LA GARE" ! HÉ, HÉ !
IL N'Y A QU'UNE MOTO !

CHACUN DEVRAIT EN AVOIR UNE !
GROUMPF ! LE CHEF SAIT CE QU'IL FAIT, QUAND MÊME !

ET C'EST UN SIDE-CAR, BANANE !
OU QUELQUE CHOSE D'APPROCHANT !
MOTO DÉGLINGUÉE ÉCHEC ASSURÉ.

PLOTTY, TU SERAS LE NAVIGATEUR !
8

VOUS DEUX, MONTEZ !
VOYAGE SERRÉ VOYAGE RATÉ.

"NOUS DEVONS ARRIVER À DESTINATION AVANT LE SOUTHERN EXPRESS !"
AH ! VOUS ÊTES LÀ AUSSI ? NE ME DITES PAS QUE VOUS AVEZ REÇU...

... UNE INVITATION DE MINNIE AVEC UN BILLET ? SI ?
PARDONNEZ MON DÉGUISEMENT. JE PRÉFÈRE VOYAGER INCOGNITO...
SOUTHERN EXPRESS

... POUR NE PAS ME RETROUVER AVEC TOUT LE CONSEIL MUNICIPAL AUX TROUSSES !
JE NE VOUS AI PAS PRÉSENTÉS ! CLAIRE, VOICI...
S-CIAK

ET VOICI...
... NOTRE PREMIER CITOYEN, HORACE HORSE, AUJOURD'HUI VOYAGEUR INCOGNITO !

... CLAIRE LABELLE, UNE FASCINANTE ET FLATTEUSE DEVINERESSE !
9
10
964
SMACK
SOUTH EXPRES

9

VOUS AVEZ UNE MAIN *ENCHANTERESSE* !
LA VÔTRE N'EST PAS MAL NON PLUS ! ME PERMETTREZ-VOUS DE VOUS LA LIRE, PLUS TARD ?

JE VOUS LAISSERAIS MÊME ME LIRE *L'ANNUAIRE TÉLÉPHO-NIQUE* !
QUELLE DÉLICIEUSE IDÉE ! J'AI TOUJOURS ADORÉ LIRE LES *NUMÉROS* !

ENTRE NOUS, CERTAINES AMIES M'APPELLENT LA *VACHE FOLLE* !
CHARMANT ! ON DIT SOUVENT QUE MOI, JE NE SUIS PAS UN SI *MAUVAIS CHEVAL ! IIIIIH !*
EUH... PARDON...

POURQUOI MINNIE EST-ELLE PARTIE DANS LE SUD ?
JE SAIS QU'ELLE A TROUVÉ DU TRAVAIL SUR LE GRAND FLEUVE, MAIS J'IGNORE CE QU'ELLE FAIT !
PFUIIII !

DANS SON MESSAGE, ELLE PARLAIT D'UNE *SURPRISE*, POUR CE WEEK-END !
AH ! J'ADORE LES SURPRISES !
964
10
SOUTHERN EXPRESS
10

LES *PLUS BELLES RENCONTRES* SONT TOUJOURS *INATTENDUES* !

COMME LA FOUDRE ET LES ÉCLAIRS ?
SHA-KRATZ
CERTAINS VOYAGENT AVEC TOUT LE CONFORT...
RESTAURANT
SOUTHERN EXPRESS
D'AUTRES NE CONNAISSENT QUE L'INCONFORT !
EUH... TU PRÉFÈRES MON TIC OU CELUI DE DONNIE ?
J'AI DIT "PASSE-MOI LE CRIC" ! PAS LE TIC !
BLINK BLINK
GNIK GNIK
CERTAINS SUIVENT LA BONNE ROUTE...
DORMEZ BIEN, HORACE !
FAITES DE BEAUX RÊVES, CLAIRE !
D'AUTRES LA PERDENT !
GRRR ! COMME NAVIGATEUR, TU TE POSES LÀ !
TA CARTE EST NULLE !
POT POT
11

CERTAINS RÊVENT DE FAIRE UN PAS EN AVANT...
D'AUTRES FONT CARRÉMENT MARCHE ARRIÈRE !
TU CONNAIS LE DICTON : "QUI PERD SON PARAPLUIE ATTIRE LES ENNUIS."
NE M'EN PARLE PAS ! ON EST DÉJÀ EN RETARD !

MÊME SI LE BUT À ATTEINDRE EST LE MÊME !
TWOOooo
TWOOooo
NOUS Y SOMMES !

JE NE VEUX PLUS JAMAIS TE REVOIR, TAS DE FERRAILLE !
POUR LE RETOUR, AVEC LA PERLE, ON POURRA S'OFFRIR...
STONK
GNIIIIIK
GNEK
12

... UN VOYAGE INOUBLIABLE ! VRAIMENT, MINNIE !
TOUT À FAIT D'ACCORD !

JE SUIS CONTENTE QUE VOUS AYEZ FAIT BON VOYAGE ! LE SOUTHERN EXPRESS EST VRAIMENT *FIABLE* !

ON NE PEUT PAS EN DIRE AUTANT DE MON FIANCÉ.
OUI, AU FAIT ! NE DEVAIT-IL PAS, LUI AUSSI, ARRIVER DANS CETTE MÊME GARE ?

IL Y ÉTAIT ! MAIS PARCE QU'IL REPARTAIT EN URGENCE, PAR CE TRAIN !
STATION
NE T'EN FAIS PAS, MINNIE ! NOUS TE TIENDRONS COMPAGNIE !
À PRÉSENT, PARLE-NOUS DE CETTE *SURPRISE* !
AH, OUI ! PEUT-ÊTRE EN AVEZ-VOUS ENTENDU PARLER À LA RADIO...
13

CE SOIR, TENEZ-VOUS BIEN, DANNY WOODMAN PRÉSENTERA SA FAMEUSE *PERLE DU FLEUVE* AU *SWINGIN' RIVER CAFÉ*...
!

J'AI RÉSERVÉ UNE TABLE DEVANT LA SCÈNE POUR L'ÉVÉNEMENT, CAR J'Y TRAVAILLE !
TIENS, TIENS...
BLINK
TU NE NOUS AS PAS ENCORE DIT CE QUE TU FAIS !

HÉ ! HÉ ! VOUS LE DÉCOUVRIREZ BIENTÔT !
ET NOUS AUSSI...

NE PERDONS PAS CE PETIT GROUPE DE VUE !
VOUS AVEZ VU QUI C'EST ?
TAXI

C'EST ENCORE CET ESCOGRIFFE DE *JOURNALISTE* !
JE PARIE QU'IL EST AUSSI SUR LES TRACES DE LA...
... PERLE DU FLEUVE ! *HÉ, HÉ* ! CELLE QUI INTÉRESSE TANT M. BLACKSPOT !
14

JE DEVRAIS PEUT-ÊTRE ÉCRIRE UN ARTICLE LÀ-DESSUS...

VOICI MA NOUVELLE DEMEURE... FLOTTANTE !
OOOOH !
Swingin' River Café
TAXI
JE VOUS OUVRE LA ROUTE !
SALUT, LIZZIE ! ÇA VA, GAB ?
S'LUT, MINNIE !
HELLO, CHÉRIE !
15
N-NON, CE N'EST PAS VRAI ! NE ME DIS PAS QUE C'EST LIZZIE GALLESPIE ET GAB HALLOWAY !?
MAIS SI ! ET CELUI QUI ARRIVE, LÀ, C'EST LOUIS HANDSTRONG !

AH, MINNE !
TES AMIS SONT
ENFIN ARRIVÉS !
JE LES
ACCOMPAGNE
DANS LEURS CABINES
ET, APRÈS, JE TE LES
PRÉSENTERAI !
DUCHESS
N'EST PAS
AVEC TOI ?
JE SUIS LÀ,
CHÉRIE !
J'ÉTAIS EN TRAIN D'ESSAYER MA TENUE,
POUR CE SOIR, MAIS LOUIS S'EST ENFUI
AVANT QUE JE PUISSE LUI DEMANDER
CONSEIL !
MAIS
TU CONNAIS
LES
HOMMES !
NE L'ÉCOUTE PAS,
MINNIE ! DUCHESS
EST UNE ADORABLE
RÂLEUSE !
SMACK
16

D-DUCHESSS ELLINGTON ?!
OUI ! ELLE ET LOUIS FORMENT UN VRAI COUPLE, DANS LE TRAVAIL... COMME DANS LA VIE !
OH ! C'EST ROMANTIQUE !

JE SUPPOSE QUE LEURS SIGNES ASTRAUX S'ACCORDENT À LA PERFECTION !
APPAREMMENT, TOUS LES PLUS GRANDS ARTISTES DE JAZZ SERONT LÀ, CE SOIR !

MAIS ON N'A PAS ENCORE VU WOODMAN...
CE CHER VIEUX DANNY...

IL NE QUITTE PAS SA CHAMBRE. IL EST NERVEUX, POUR CE SOIR...
17

CETTE PERLE DOIT AVOIR UNE GRANDE VALEUR AFFECTIVE, POUR QU'IL SE METTE DANS DES ÉTATS PAREILS !

UN PEU PLUS TARD...
ON VA FOUILLER SA CHAMBRE DE FOND EN COMBLE, D'ACCORD ?

LA PERLE PEUT ÊTRE CACHÉE N'IMPORTE OÙ ! ATTENTION, SILENCE ET DISCRÉTION...
IIIIIH !

STOMP
SWISH

?
SWISH
18

GRAT GRAT

?
WOOOOSH
SOAP
?!
DANNY, MON VIEUX, JE CROIS QUE TU DEVIENS *CINGLÉ* !
JE SUIS STRESSÉ ! QUELQUES PAS AU GRAND AIR ME FERONT DU BIEN...
ON A FOUILLÉ PARTOUT ! RIEN !
ATTENDONS CE SOIR ! ON RAFLERA LA PERLE QUAND ILS LA MONTRERONT AU PUBLIC !
SBAM
HUM... PERLE DU SOIR, PERTE D'ESPOIR.
19

UNE VRAIE CHANCE ! ET TOUT ÇA, GRÂCE À TOI !
JE ME SUIS CONTENTÉE D'INVITER LES GENS QUI ME TENAIENT LE PLUS À CŒUR !

JE SUIS TOUCHÉ ICI ! EN PLEIN CŒUR !
OH ! ET C'EST GRAVE ?

JE CRAINS QUE CE NE SOIT INCURABLE ! JE N'AI JAMAIS RIEN ÉPROUVÉ DE CE GENRE !
JE CONNAIS CETTE SENSATION...

MAINS MOITES, PALPITATIONS, OBSES-SIONS...
... ON SE SENT EUPHORIQUE, ON VOLE...
OUPS ! À PROPOS...

JE DOIS VOLER À MON TRAVAIL ! IL EST TARD !
ATTENDS, MINNIE !
20

ON SE VERRA AU CAFÉ, CE SOIR ! TÂCHEZ D'ÊTRE À L'HEURE !
JE NE T'AI MÊME PAS DEMANDÉ CE QUE TU FAISAIS...

CUISINIÈRE ? FEMME DE CHAMBRE ? À VOTRE AVIS ?

IL Y EN A DES GENS QUI S'INTÉRESSENT À LA PERLE DU FLEUVE !

ON A DE LA CHANCE ! EN TANT QU'AMIS DE MINNIE, ON EST BIEN PLACÉS !

RESERVED TABLES

MAIS OÙ EST-ELLE, ELLE ? LE SPECTACLE VA COMMENCER !

MESDAMES, MESSIEURS, VOICI...

... LE *SWINGIN' RIVER JAZZ BAND* !
JAZZ!
CLAP CLAP CLAP
CLAP
CLAP
CLAP CLAP
CLAP
21

PARTIE QUELQUE TEMPS LOIN DES PROJECTEURS, CETTE FORMATION NOUS A MANQUÉ ! MAIS NOUS LA RETROUVONS, CE SOIR !
DÈS QU'ILS SORTENT LA PERLE, ON FONCE TOUS !

J'AIMERAIS QUE NOUS FASSIONS UNE STANDING OVATION...

... À L'INCOMPARABLE MAÎTRE DU JAZZ, *DANNY WOODMAN* !

AHEM ! PARFOIS, LA VIE NOUS ÉLOIGNE DE NOTRE ROUTE ET... ÇA M'EST ARRIVÉ AUSSI. JE ME SUIS PERDU, MAIS...
22

... J'AI RENCONTRÉ DES GENS QUI M'ONT REDONNÉ CONFIANCE EN L'AVENIR ET M'ONT INDIQUÉ LA BONNE DIRECTION !

SI JE SUIS ICI CE SOIR, C'EST GRÂCE À CES GENS QUI M'ONT AIDÉ DANS DES MOMENTS DIFFICILES. VOICI...
QUEL BARATIN !
DISCOURS HONNÊTE AVENIR FUNESTE.

... MA *NOUVELLE FORMATION* ! LES MUSICIENS SONT EXCEPTIONNELS...

... LA CHANTEUSE A UNE *VOIX ENSORCELANTE*...

C'EST CELLE DE MA DOUCE AMIE *MINNIE* !
OOOOH !

JE LUI DÉDIE LE NOUVEAU MORCEAU QUE VOUS ALLEZ ENTENDRE ET QUI S'INTITULE *"LA PERLE DU FLEUVE"*...
Q-QUOI... QU'EST-CE QU'IL DIT ?
MIAM ! C'EST LE MOMENT, CHEF ? ON LUI SAUTE DESSUS ?
23

LA PERLE DU FLEUVE, C'EST *TOI*, MINNIE !
OH ! MERCI, DANNY !
SMACK

DOWN THE RIVEEEEER...
HÉ ! JE N'AURAIS JAMAIS IMAGINÉ QUE...
VOUS DANSEZ, MA CHÈRE ?

DOWN THE RIVER WE GOOOOOO...
WOÂH ! ELLE EST CANON ! ET QUELLE VOIX !
GRRR ! CE N'EST PAS POSSIBLE !
SBAM

TOGETHER WE GOOOO... AND THE RIVER IS SLOOOOOOW...
TOUT ÇA POUR EN ARRIVER À UNE SOIRÉE DE... GARGARISMES !?
!

DIS-MOI, L'AMI...
OUPS !
24

DE GARGARISMES ?! RÉPÈTE UN PEU CE QUE TU VIENS DE DIRE, ESPÈCE DE...
EUH...
NON, JE N'Y CROIS PAS...

CRASH
ÔTE TES PATTES DE PAT, TOI !
VOUS CHERCHEZ DES EMBROUILLES ?
EH ! RENDS-MOI MON SANDWICH, TOI !
TONF
TONF
QUE SE PASSE-T-IL ?
UNE BAGARRE ! ON Y VA ?
AH, ENFIN ! ÇA FAISAIT LONGTEMPS !
AND THE RIVER FLOWS... MMM...
25

CRASH
SBONG
ILS ONT FINI DE JOUER...
QU'IMPORTE ! VOTRE VOIX EST UNE **MUSIQUE** À MES OREILLES !
OH !
JAZZ!
26

BONNE NUIT, MA CHÈRE !
HORACE ! ATTENDEZ !
RONFL PFUIII... RRRONFL... PFUIII...
CROC ! CRUNCH !

ACCORDEZ-MOI CETTE DANSE AU CLAIR DE LUNE !

... ET UNE DERNIÈRE À LA LUEUR DE L'AUBE !
L'AUBE ? OH ! DÉJÀ !

ON REPART DANS TROIS HEURES !
OUI. ON DEVRAIT SE REPOSER, AVANT LE VOYAGE !
27

MAIS JE RÊVERAI DE VOUS ! JE NE ME RÉVEILLERAI PAS !
DINGO NOUS RÉVEILLERA ! IL DOIT PRENDRE LE MÊME TRAIN QUE NOUS !
RRRRONFFFL !

TWOOOO TWOOOO
HEIN ?!

ONZE HEURES ? LE TRAIN PART DANS UNE DEMI-HEURE ! DINGO NE M'A PAS RÉVEILLÉ !

OH ! TU ES LÀ !
ESSAIE DE TE DÉTENDRE UN PEU, HORACE... SUIS LE VOL DES LIBELLULES...

ME DÉTENDRE ? M-MAIS... NOUS DEVRIONS ÊTRE DÉJÀ À LA GARE ! NOTRE TRAIN...
LE TRAIN ?... AH, OUI ! JE L'AVAIS COMPLÈTEMENT OUBLIÉ !

C'EST VRAI, HORACE. JE N'Y PENSAIS PLUS... J'AI DÉCIDÉ DE RESTER ICI...
TU AURAIS PU ME LE DIRE !
28

JE L'AI FAIT ! HIER SOIR ! MAIS, CROIS-MOI, TU N'ÉCOUTAIS QU'ELLE !
ÂÂÂÂH ! QUELLE BELLE... QUELLE MAGNIFIQUE JOURNÉE ! SERAIT-CE L'HEURE DE DÉJEUNER ?

EH ! QUI M'A PIQUÉ MON DÉJEUNER ?
PLOTTY... UN DE TES PIEDS EST SUR MON VENTRE...
TENTE ÉCROULÉE MALCHANCE ASSURÉE.
IL FALLAIT LA MONTER TOI-MÊME, GROS MALIN !
BONS À RIEN ! ILS N'ONT PAS INTÉRÊT À SE MONTRER DANS LE COIN, AVANT UN MOMENT !
ENCORE UNE FOIS, JE VAIS DEVOIR REMERCIER DINGO ! SON ARTICLE SUR LE RETOUR DE WOODMAN...
the Morning Blot
LE GRAND RETOUR DE DANNY WOODMAN
... ET L'EXCLUSIVITÉ SUR LA TOURNÉE DU SWINGIN' RIVER JAZZ BAND ME RAPPORTERA UN JOLI PETIT MAGOT !
AINSI QU'UN APPRÉCIABLE MOMENT DE GLOIRE ! LE DIRECTEUR DU "MORNING BLOT" SERA BIENTÔT PLUS INFLUENT QUE LE MAIRE...
29

"... EN ATTENDANT DE LUI PRENDRE SA PLACE !"
INUTILE, MON CHER ! IL EST PARTI !
OUF ! POUF ! LE CHAUFFEUR DE TAXI S'EST TROMPÉ DE ROUTE...

OH ! LE PROCHAIN TRAIN NE PASSERA PAS AVANT DEUX JOURS !
TRAGIQUE ! JE NE PEUX PAS M'ABSENTER AUSSI LONGTEMPS ! IL ME FAUT UN VÉHICULE...
DEPARTURES

EH !?

QUE DIRIEZ-VOUS DE...
VOUS ÊTES SÉRIEUX ?

COMME C'EST ROMANTIIIIQUE !
POT
POT
POT
30

POT
POT
FIN

WALT DISNEY
EXTRÊMEMENT MOTIVÉ
WOÂH ! IL NE RATE PAS UNE OCCASION !
C'EST LE MEILLEUR DE TOUS !
QUEL COURAGE !
TROIS, DEUX, UN...
J'Y VAIS !
AAAAAH !
TROP FORT !
BRAVO !
VIVE GUS !
MIAM !
FIN

ComixZone

L'univers de...

MIDAM
L'heureux papa "pas biologique" de Kid, du petit Barbare et de Grrreeny est l'invité du Comix Zone.

144

Le tome 12 de "Kid Paddle" sort juste avant la rentrée. MPG, qui fait partie des fans de la première heure, met les pages qui suivent à la disposition de l'auteur...

AU RAYON BD...

AGENDA Quatre festivals! En août, que ce soit à Éauze, Saint-Martin-de-Ré, Solliès-Ville ou Rochefort-sur-Mer, offrez-vous un bon bol de bulles rafraîchissantes!

150

Avant-goût de notre sélection d'albums tout chauds: "Schumi", "Atlas & Axis", "Beelzebub", "Zombillénium", "Rocketeer"... et les BD de l'été.

"Au rayon BD"... *Ont collaboré et partagé un intense moment de bonheur, par ordre alphabétique: Sandra Duss, Christine Goudonis et Jérôme Wicky.*

L'univers de...

MIDAM

C'est du lourd! Kid Paddle revient après quatre ans d'absence. Fan "d'expériences scientifiques" et de films d'horreur, il effectue sa rentrée le 24 août 2011 dans "Panik room", chez MAD FABRIK. Rencontre avec Midam et Araceli Cancino, sa femme et collaboratrice.

MAD FABRIK kezako?

- **2009:** Midam, Araceli Cancino et Dimitri Kennes fondent les éditions MAD FABRIK.
- **2010:** premier livre, "Grrreeny". Le succès, au rendez-vous, n'a pas posé de lapin au petit tigre vert.
- **M.:** «On rêve encore de paillettes. On veut tout. Chez un gros éditeur, vous êtes un numéro. Je me disais: "Si j'étais seul, je déciderais du budget, de la promotion..." On peut être drôle, garder la qualité artistique et savoir vendre une BD. On était allé voir le vieil Albert (Uderzo), pour avoir des conseils.»

Le petit Midam...

Quel enfant étiez-vous?

M.: Très rieur. Je faisais rire et j'avais beaucoup de fous rires. J'étais entouré de copains rigolos.

Vous aimiez "Astérix", "Gaston Lagaffe", mais dessiniez-vous?

M.: Oui, oui. J'avais une aptitude pour le dessin. Mais en classe, il y avait toujours un gars au-dessus de moi.

Kid a l'air d'aimer la chimie. Étiez-vous pareil?

M.: Mon papa aurait voulu que je sois chimiste. Je faisais des expériences dans la salle de bains. (MPG: «Il nous en a décrit une! (Censurée!) Kid et Midam auraient été inséparables!»)

De 1963 à 2011...

1963

16 mai: naissance à Etterbeek (Belgique). Hergé et Franquin y sont nés!

1997

22 août: rencontre foudroyante avec ma future femme Araceli, au Chili. Elle me fera découvrir Montréal et une certaine vision de l'Amérique du Nord et du Sud.

Novembre: Montréal! Je mets les pieds dans une ville nord-américaine avec ses gratte-ciel, ses restos ouverts la nuit, ses magasins ouverts le dimanche et son accent québécois. L'Amérique en français, le dépaysement est total.

Des études à la BD...

Quel métier vouliez-vous faire?

M.: Je ne savais pas. J'ai demandé à un psychologue de me tester. J'ai commencé par des études d'architecte d'intérieur dans une classe de vingt-sept filles et trois garçons. J'ai très mal travaillé. Il y a eu la photographie et trois ans à Saint-Luc, école de BD et d'illustration.

Votre premier travail en tant que dessinateur?

M.: J'avais dessiné une cinquantaine de gags pour un journal professionnel, des mini-planches de BD muette avec des petites silhouettes noires. Celles avec des cravates étaient des cadres, les autres, sans cravate, des ouvriers...

Midam et la BD...

Songiez-vous à faire des gags dès le départ?

M.: Oui, j'étais fan de "Calvin et Hobbes", de Bill Watterson. En 1993, j'ai commencé à illustrer la rubrique de jeux vidéo de "Spirou", avec des mini BD de Kid. C'est sa première apparition. Ça y était... je devenais un dessinateur professionnel!

Quand est-il devenu le héros d'une série BD?

M.: J'y ai pensé dès le début. Le premier album était prêt en 1995, mais il est sorti en mars 1996 et le deuxième, en septembre, dans la foulée. Je trouve ça bien... paf, paf!... deux coups rapprochés.

Êtes-vous plus à l'aise dans le scénario ou le dessin?

M.: Ce sont deux plaisirs et deux épreuves différents. Parfois, je réussis de bons scénarios, mais je rate un peu le dessin. Si je veux un frigo, il doit être épais, sans avoir l'air d'une armoire. Personne ne me dira: «c'est mal dessiné», mais: «quelque chose ne va pas».

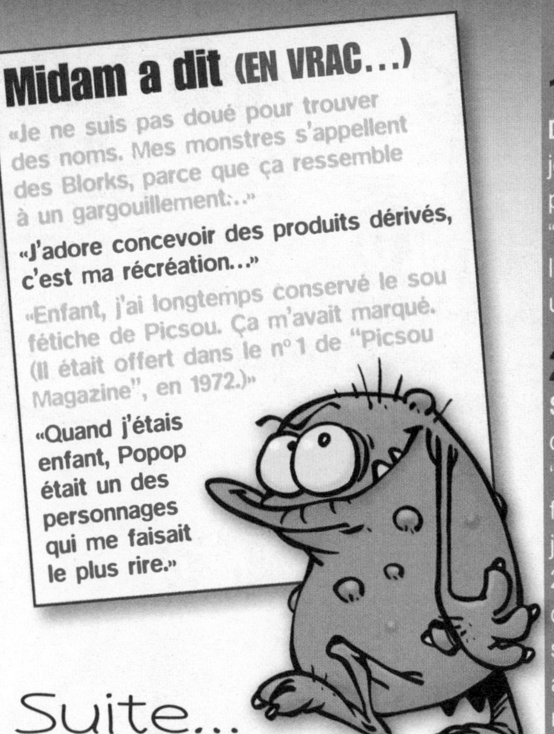

Midam a dit (EN VRAC...)

«Je ne suis pas doué pour trouver des noms. Mes monstres s'appellent des Blorks, parce que ça ressemble à un gargouillement...»

«J'adore concevoir des produits dérivés, c'est ma récréation...»

«Enfant, j'ai longtemps conservé le sou fétiche de Picsou. Ça m'avait marqué. (Il était offert dans le n° 1 de "Picsou Magazine", en 1972.)»

«Quand j'étais enfant, Popop était un des personnages qui me faisait le plus rire.»

1999

Décembre: avec Araceli, je fonde Midam Productions pour développer l'univers "Kid Paddle", avec le souci de la qualité et une vision à long terme.

2003

Septembre: première diffusion du dessin animé "Kid Paddle". Si j'avais fait tous les dessins, j'en aurais eu pour 213 000 ans! J'ai donc délégué. Découvrir son personnage à la télé, c'est magique.

Suite...

Que préférez-vous dans le scénario?

M.: Commencer un gag est pénible. C'est un défi. Si je ne trouve pas le début du gag, je râle, je suis sinistre et soudain le ciel s'ouvre, avec un magnifique soleil. J'entrevois un chouette début, de bons dialogues. La chute du gag suivra. Ce n'est pas le plus dur.

Araceli, êtes-vous sa première lectrice?

A.: Oui, et on rit souvent des mêmes choses. Il vient me voir quand il bloque. Je le fais parler, je lui donne mon avis et il trouve la solution en verbalisant. Je suis son accoucheuse d'idées.

GAME OVER
MIDAM • ADAM • PATELIN
GAME OVER
6
SOUND OF SILENCE

Zoom sur GAME OVER

- "Game over": série dérivée de "Kid Paddle" (tome 1, 2004).
- Héros: un petit Barbare. Il doit massacrer un maximum de Blorks, mais c'est le contraire qui se produit.
- BD: "sang pour sang" muette, reposante pour le lecteur, pas pour le petit Barbare qui se fait massacrer en silence. Mais il ressuscite à chaque page!
- Le tome 7 est en gestation (avancée).
- Dernier truc: le responsable de toute cette barbarie est Adam (engagé en 2001). Mais que fait Midam?!

Et à part ça...

Un conseil à un futur auteur de BD?

M.: Faire quelque chose dans le domaine où on est bon. Ce n'est pas forcément celui qu'on aime, mais on va l'aimer parce qu'on est bon. Dans un concours, je perdrai, car je n'ai pas ce talent d'improviser un dessin. Mais donnez-moi un an pour faire un album et je gagnerai. Être conscient de ses limites pour produire le meilleur, c'est très important.

Que pensez-vous des festivals?

M.: J'essaie de les éviter ou je les "co-organise". À Angoulême, en 2011, on avait créé un grand stand "Kid Paddle", aux couleurs "Kid Paddle", avec un Blork dans une cage qui dormait et qui respirait, un petit salon, un miroir sans tain, une rétrocaméra sur les dédicaces, deux écrans télé… On avait "un festival dans le festival". C'était chouette.

Avez-vous un site?

M.: On en a un très complet: www.kidpaddle.com, une page Facebook au nom de MAD FABRIK où, tous les jours, on met quelque chose de nouveau: dessins, clips, news, scoops, prochaines dédicaces, concours…

Projets

Le tome 6 de "Game over" est sorti en mars, le 7 paraîtra fin 2011 et "Kid Paddle" est dans les starting-blocks. M: «C'est une année exceptionnelle. Pour la première fois, on fera une tournée dans toute la France, pendant près de quinze jours. Pas de soirée lancement VIP, on préfère rencontrer les fans. Autre pari important: en 2013, sortir le "Kid" 13 un vendredi 13!»

Pour conclure...

«J'ai hâte de voir le prochain "Kid Paddle" en rayon. Le dernier tome est toujours le meilleur. Même si je prends plus de temps pour trouver des idées afin de ne pas me répéter, je maîtrise de mieux en mieux l'univers Kid Paddle...»

2004

Novembre: l'achat de notre première maison.

2005

Mort de mon chat avec qui j'avais une relation spéciale. Il m'a accompagné quinze ans. "Livres-Hebdo" classe le tome 10 de "Kid Paddle" n° 1 de toutes les ventes de livres, devant le "Da Vinci Code". Champagne!

2009

Septembre: lancement de MAD FABRIK, avec Araceli et Dimitri Kennes. Il a gagné mon respect quand il dirigeait les éditions Dupuis. C'est un ami.

2010

Grrreeny! Sortie de notre premier livre MAD FABRIK.

2011

À suivre...

AU RAYON BD...

PETIT MARDI ET LES ZUMINS 2
JOUANNIGOT
Éd.: Dargaud
(Août 2011)
Cerise et Voltaire retrouvent le Pays des Zanimos et tous leurs amis, Petit Mardi et Macha Curiosités.

COPAINS

A NE PAS MANQUER !

AGENDA

20e Festival BD en Gascogne, à Éauze, Hall des expositions, le 7 août.

Invités: Druillet, Zidrou, Janry, M. Plessix, O.G. Boiscommun... Expos, dédicaces, rien ne manque, alors cet été, osez Éauze!

ZOOM

GRRR comme... GRRREENY!

ÉCOLO

Le jeune tigre Grrreeny devient vert en se baignant dans une mare polluée. Il cherche à savoir pourquoi. "Grrreeny" parle d'écologie: l'eau, la forêt, les sources d'énergie, les gaz à effet de serre et la biodiversité. Des bricolages et des gags concluent chaque chapitre. Apprendre en riant, c'est le top! Araceli Cancino, Chilienne, Canadienne et à présent Belge d'adoption, est à l'origine de ce manuel illustré par Midam. Y aura-t-il une suite? Oui, en BD!

Déjà dans les bacs

Grrreeny 1
Textes et adaptation: A. Cancino
Dessin: Midam
Éd.: Mad Fabrik

Horaires: 10 h à 13 h et 15 h à 19 h.
Tarif: gratuit pour tous.
Site: www.eauzebd.com

KONGOH BANCHO
N. SUZUKI
Éd.: Kana
(T. 1 & T. 2 dans les bacs, T. 3 août 2011)

Qui veut contrôler le Japon? C'est ce que cherche à savoir Kongoh Bancho, en participant à un tournoi. Parodie des mangas de "baston".

Sortie en juillet 2011

LE VENGEUR CONGELÉ

L'adaptation au cinéma de "Captain America, le premier vengeur", sort cet été. L'album évoque ses exploits durant la Deuxième Guerre mondiale. Congelé et ressuscité, cet ex-maigrichon devient un super soldat et combat le Crâne Rouge. Son créateur, le "king" Jack Kirby, est au crayon. Ce retour aux sources a du style.

Captain America
Intégrale 1964-1966
Auteurs: J. Kirby & S. Lee
Éd.: Panini

Rocketeer
Auteur: D. Stevens
Éd.: Delcourt

HAUTE VOLTIGE

Sortie en août 2011

Cliff Secord, cascadeur aérien, a un sale caractère et aucun réalisateur ne veut l'engager. Le directeur véreux d'un cirque volant l'exploite, et sa petite amie Betty songe à le quitter. Un mystérieux jet dorsal, lui permettant de voler, tombe du ciel. Très vite, l'inventeur du gadget, Doc Savage (autrefois apparu dans "Le Journal de Mickey" sous le nom de Franck Sauvage), est à ses trousses. Cette BD a été adaptée au cinéma par Disney.

HÉROS

LA MORT DE CAPTAIN MARVEL

S. ENGLEHART, D. MOENCH, P. BRODERICK & J. STARLIN

Éd.: Panini (Dans les bacs)

SUPER HÉROS

Captain Marvel meurt des suites d'une maladie. Jim Starlin réunit des super héros Marvel. Ils rendent hommage à Captain Marvel dans ce récit original. Pas triste!

AGENDA

1er Festival BD de l'Île de Ré, à Saint-Martin-de-Ré, sous un chapiteau de cirque, les 20 et 21 août.

Le grand Fred sera présent et bien entouré. Ne ratez pas ce festival en Ré majeur!

Horaires: 10 h à 19 h.
Tarif: gratuit, mille sabords!
Site: www.festival-bd.com

LA NOUNOU DU DIABLE

manga

Le lycéen Tatsumi Oga aime la bagarre. Encore un! Des piles de mangas commencent ainsi. Mais notre brute au grand cœur se retrouve baby-sitter d'un adorable bébé qui n'est autre que le fils du diable. Le poupon sympa déborde d'affection pour sa "nurse musclée". Si vous ajoutez à cela une jolie diablesse nommée Hilda, qui s'interpose entre Oga et le diablotin, vous obtenez un manga hilarant.

Déjà dans les bacs
Beelzebub 1 & 2
Auteur: R. Tamura
Éd.: Kazé

SAGA POLAIRE

aventure

Dans le monde de Pangea, les animaux parlent et marchent. Atlas et Axis, deux chiens sympas aux pedigrees très différents, partent sur les traces des sanguinaires Vikiens, venus du Nord. Ces molosses aux canines acérées ravagent tout sur leur passage. Pour venger les leurs, Atlas et Axis devront s'aventurer dans le Grand Nord. L'auteur inspiré de cette épopée glaciale s'appelle Pau… comme la ville.

Sortie en août 2011
La saga d'Atlas & Axis
"Le pigeon voyageur"
Auteur: Pau
Éd.: Ankama

23ème FESTIVAL INTERNATIONAL BD
Solliès-Ville
26, 27 & 28 AOUT 2011
+ DE 50 AUTEURS
EN DEDICACE
EXPOSITIONS
PROJECTIONS
ENTREE GRATUITE
RENSEIGNEMENTS :
www.festivalbd.com
alien@wanadoo.fr

23e Festival international BD de Solliès-Ville, près de Toulon, place du village (très haut perché!). Affûtez vos mollets!

Les 26, 27 et 28 août.

Invités: C. Arleston, P. Buchet, L. Jouannigot, A. Krings, T. Sandoval, E. Tharlet, Trondheim.

Horaires: vend. 15 h à 18 h, sam. et dim. 10 h à 13 h et 16 h à 20 h.
Tarif: gratuit.
Site: www.festivalbd.com

T. 1 Déjà dans les bacs
T. 2 Sortie en août 2011

Zombillénium
1 "Gretchen"
2 "Ressources humaines"
Auteur: A. de Pin
Éd.: Dupuis

HUMOUR NOIR

MORTEL!

Au parc d'attractions Zombillénium, on n'embauche que d'authentiques loups-garous, vampires et momies. Aucun mortel, c'est le deal. Francis von Bloodt, vampire et père de famille, gère cette entreprise qui ne connaît pas la crise. Dans le tome 2, Aurélien, un humain revenu de tout, est embauché malgré lui. L'apprentie sorcière Gretchen l'aide. Humour grinçant, signé Arthur de Pin.

PRÉHISTORIQUE

L'eau du fleuve, qui protège l'île où vit une tribu, baisse. Les dinos mangeurs de viande s'impatientent déjà. Deux enfants, D'ja et N'go, veulent redonner vie au fleuve. Épique!

Déjà dans les bacs

aventure

D'ja& N'go
Auteurs: Derick & Marwane
Éd.: Éditions du cygne

AGENDA

Horaires: 9 h à 18 h, dédicaces à partir de 10 h.
Tarif: encore gratuit.
Site: www.rochefort-bd.fr
Site: www.lesfortsenbulles.over-blog.com

3e Festival Roch'fort en Bulles, à Rochefort-sur-Mer, site de l'Arsenal, organisé par Les Forts en Bulles. Ça pétille!

Les 3 et 4 septembre.

Invités: F. Margerin, P. Larbier, P. Pellerin, P. Sobral et plein d'autres. Expos, ateliers de dessin, tatouages éphémères, maquillage...

NON...

TOUJOURS LES MÊMES...

Déjà dans les bacs

SCHUMI ZE WAY!

Sébastien Macaire, dit Schumi (il adore Schumacher), et sa chaise roulante sont inséparables. Il refuse tout apitoiement et profite même des petits avantages que lui procure celle-ci. Zidrou (Ducobu) et E411 ("Edwin et les twins") sont aux commandes. En classe, Guntmar est son seul ennemi, mais Schumi a de la reprise. Vrrrrr!

Schumi 1
"Comme sur des roulettes"
Scénario: Zidrou
Dessin: E411
Éd.: Pasquet

HUMOUR

ENVOYEZ-NOUS

... vos suggestions, remarques *(nouvelle formule, Comix Zone, jeux...)*, **infos** *(100% BD!)*: **sites, blogs, expos, festivals près de chez vous ou pas** *(se déroulant entre le 20 septembre et le 20 novembre 2011)*, **les BD que vous voudriez faire connaître et vos dessins!**

5, 4, 3, 2, 1... PARTEZ!

BD à emporter...

Ces BD nous avaient échappé. En attendant la rentrée, elles vous aideront à surmonter cette rude et douloureuse période que sont les vacances!

DUCOBU 17

"Silence, on copie!"
GODI & ZIDROU
Éd.: Le Lombard (Dans les bacs)
Pour riposter à la dictée mycologique, la préférée de M. Latouche, Ducobu décide de fédérer les cancres du monde entier. Pas si fainéant que ça, Ducobu!

HUMOUR

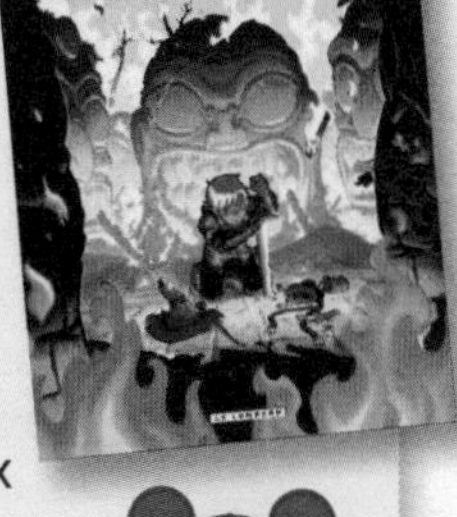

LÉGENDES DE PARVATERRA 3

"Au-delà de la mer"
ARNAIZ
Éd.: Le Lombard (Août 2011)
Léo est l'un des deux Élus destinés à sauver le monde. Il fait des rêves oppressants, ce qui ne l'aide pas. Réveille-toi, Léo!

HEROIC FANTASY

LES SUPER SISTERS

CAZENOVE & WILLIAM
Éd.: Bamboo (Dans les bacs)
Marine et Wendy sont de retour en super héroïnes. Dragons de l'espace, sorciers maléfiques, robots, animaux mutants... tout y est!

HUMOUR

LE SCHTROUMPFISSIME

PEYO & DELPORTE
Éd.: Dupuis (Dans les bacs)
Paru en 1965, voici la réédition du deuxième tome (culte!) des "Schtroumpfs". Les années passent mais, grâce à Peyo et Ivan Delporte, les petits bleus sont encore verts!

MAGIE

CAPTAIN BICEPS 5

ZEP & TEBO
Éd.: Glénat (Août 2011)
Captain Biceps ou le retour de la justice en collants rouges. Même Chuck Norris en a peur.

HUMOUR

SUPER HÉROS

S.A.M. 1

MARAZANO & S. XIAO
Éd.: Dargaud
(Dans les bacs)

Des enfants survivent dans un monde dévasté. Et si c'était vous? Marazano est le scénariste du “Rêve du papillon”.

LOVE

“Le tigre”
BRRÉMAUD & BERTOLUCCI
Éd.: Ankama
(Dans les bacs)

Dans la jungle où règne la loi du plus fort, si les petits se rassemblent, même le plus grand des félins peut connaître l'échec. Le tigre inaugure ce somptueux bestiaire…

Bestiaire

RALPH AZHAM 2

TRONDHEIM
Éd.: Dupuis (Août 2011)

Heroic Fantasy

Après avoir mis en déroute la horde de Vom Syrus, Ralph, indiscipliné mais doté d'étranges pouvoirs, fuit le village avec Raoul et Claire…

CHOSP 2

BARBUCCI
Éd.: Soleil
(Dans les bacs)

Chosp

Revoilà TeeVille, l'île des stars et de… Chosp. Avec ses écailles, ses cornes et sa queue, l'imprévisible Chosp a tout d'un démon. C'est peut-être le cas…

Délire

ONE PIECE 1 & 2

ODA
Éd.: Glénat manga
(Juillet 2011)

Ce récit en deux volumes n'appartient pas à la série, mais tout y est: course-poursuite, combats acharnés et amitiés sincères.

LE CHAT QUI S'EN VA TOUT SEUL

DÉGRUEL
d'après
R. Kipling
Éd.: Delcourt
(Août 2011)

En 2010, Yann Dégruel avait illustré “L'enfant d'éléphant”, tiré d'“Histoires comme ça” de Kipling (Delcourt). Il récidive. Le chat vaut le détour.

Fable

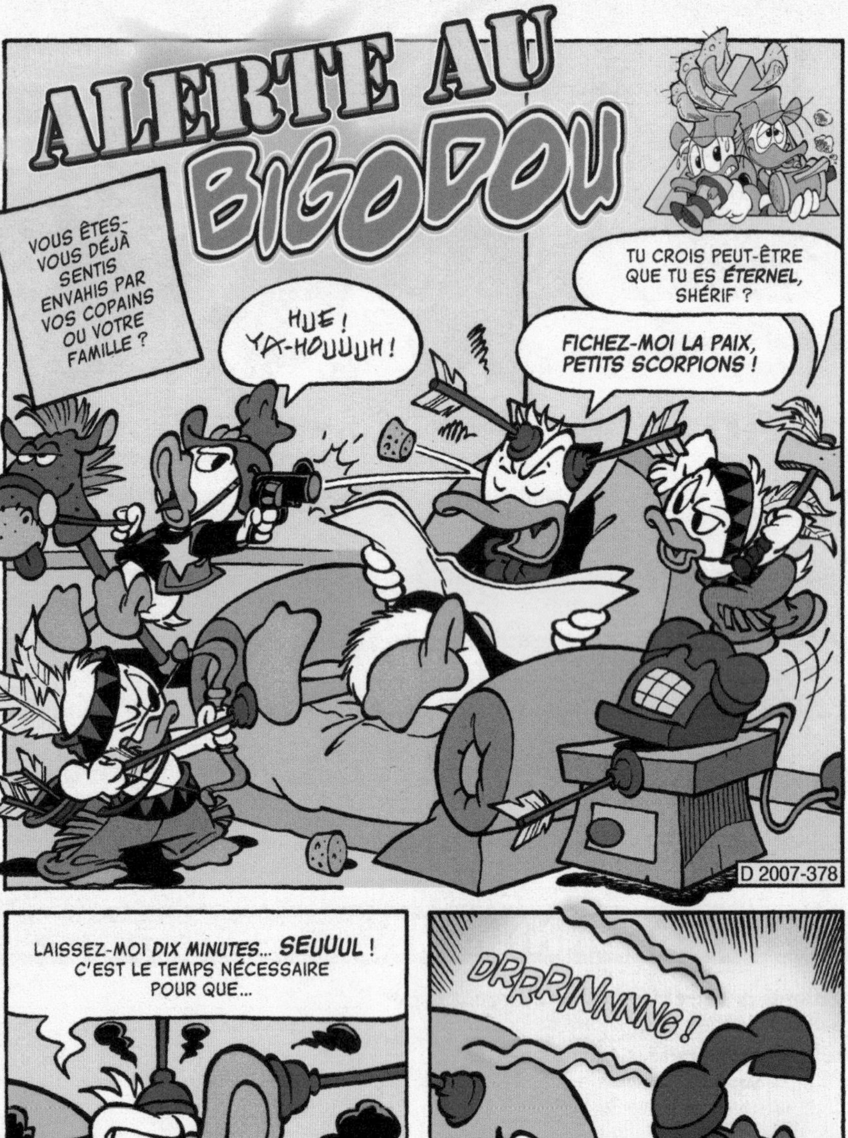

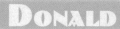

ALERTE AU BIGODOU

VOUS ÊTES-VOUS DÉJÀ SENTIS ENVAHIS PAR VOS COPAINS OU VOTRE FAMILLE ?

HUE ! YA-HOUUUH !

TU CROIS PEUT-ÊTRE QUE TU ES *ÉTERNEL*, SHÉRIF ?

FICHEZ-MOI LA PAIX, PETITS SCORPIONS !

D 2007-378

LAISSEZ-MOI *DIX MINUTES*... **SEUUUL** ! C'EST LE TEMPS NÉCESSAIRE POUR QUE...
1

DRRRINNNNG !

Scénario: L. Jensen/D. Gerstein - Dessins: F. Andersen

DONALD, J'AI BESOIN DE TOI POUR UN VOYAGE VITAL AU SECOUTOUALA ! TU TOUCHERAS TES VINGT CENTIMES HORAIRES HABITUELS...

NON ! JE NE GÂCHERAI PLUS UNE SECONDE DE MON TEMPS POUR TES LUBIES !
SPLAT !

GRRR ! QUELLE VIE ! QUAND LA JEUNE GÉNÉRATION NE ME REND PAS CHÈVRE, C'EST L'ANCIENNE !
DING-DONG !

DONALD, SI TU M'AIDES À REPEINDRE MA MAISON, JE T'INVITE À DÎNER !
DÉSOLÉ, MON CHOU ! C'EST NON !
BIIIP BIIIP !

ICI, GONTRAN ! ACCOMPAGNE-MOI EN VILLE, ET TU VERRAS CE QUE J'AI GAGNÉ À LA LOTERIE, AUJOURD'HUI !
2

NOOOON !

PAS MOYEN DE PASSER CINQ MINUTES, SANS ÊTRE INTERROMPU PAR...
DRRR ! DRRRINNNG !
QU'EST-CE QUE JE DISAIS ?!

SALUT, DONALD ! ICI, POPOP ! J'APPELLE DU QG DE L'AGENCE DE NON-PROLIFÉRATION DES EXTRATERRESTRES ! ON EST DÉBORDÉS !
DE L'A.N.P.E. ? OUI, ET ALORS ?

JE CLASSE LES DOSSIERS CONFIDENTIELS ! C'EST FACILE, BIEN PAYÉ ET PASSIONNANT ! JE VIENS...
... DE DÉCOUVRIR QUE L'AGENT KOLIK AVAIT UN APPARTEMENT À...

ÇA NE M'INTÉRESSE PAS !
PLAF!

JE N'AI PAS BESOIN DE TRAVAILLER À L'A.N.P.E. AVEC L'ARGENT QUE J'AI ÉCONOMISÉ LA DERNIÈRE FOIS, ET GRÂCE À MES HEURES SUP À L'USINE DE MARGARINE...
3

... JE ME SUIS OFFERT TROIS SEMAINES DANS UN CHALET SYMPA, TRÈS ISOLÉ ET REMPLI DE PROVISIONS POUR TROIS SEMAINES !
ET JE COMPTE M'Y RENDRE AUJOURD'HUI MÊME !

LOIN DE CERTAINES CONNAISSANCES ET AVEC *TOUT MON TEMPS À MOI* !
MA LOCATION DÉMARRE DANS UNE HEURE ! JE PARTIRAI DÈS QUE *GRAND-MÈRE* SERA VENUE CHERCHER LES ENFANTS... AH ! LA VOILÀ QUI ARRIVE !
YOUPIII ! OUH ! OUH !
MES OREILLES ! GRAND-MÈRE, TU N'IMAGINES PAS À QUEL POINT JE TE SUIS RECONNAISSANT !
À L'ATTAQUE ! WAH ! WAH !
AU REVOIR, LES ENFANTS ! SOYEZ SAGES ! ADIEU, LE STRESS !
1890
JE VAIS PASSER UNE MOITIÉ DE MES VACANCES DANS LE LIT, L'AUTRE MOITIÉ, AFFALÉ SUR LE DIVAN...
313
4

ET LA DERNIÈRE MOITIÉ À RÊVASSER DANS UN HAMAC !
HUM... ÇA FAIT TROIS MOITIÉS... PEU IMPORTE ! JE ME COMPRENDS !
SENTIER DU SANGLIER
AUCUN VOISIN, SAUF DES ERMITES, PLUS LOIN ! ENFIN SEUL, TOUT SEUL !
SCHLOUG! GLOUM! CROC! BURP!
IIIIRK!
5

TOUT SEUL...
AVEC CETTE
LIMACE GÉANTE
AFFAMÉE...
MIAM ! BURP !
À L'AIDE ! UN MONSTRE ! À MOI ! AU SECOURS !
HOLÀ ! PAS DE PANIQUE ! JE CONNAIS UNE ÉQUIPE DE CHASSEURS DE MONSTRES ! CEUX DE L'A.N.P.E., JUSTEMENT !
JE N'AI PAS LE NUMÉRO DU CHEF, MAIS POPOP EST AU BUREAU ! JE VAIS L'APPELER ET LUI DEMANDER D'AVERTIR LE CHEF !
6
UN INSTANT, DONALD !
OUF ! IL EST LÀ ! JE SUIS SAUVÉ !

ENTENDU, AGENT DONALD ! ON ARRIVE TOUT DE SUITE ! EN ATTENDANT, TU FERAIS MIEUX DE QUITTER LES LIEUX !
QUITTER LES LIEUX ?! AH, NON ! PAS QUESTION ! J'AI DÉPENSÉ UNE FORTUNE POUR LOUER...
PFFF ! DIX MINUTES ! ILS EN ONT MIS, DU TEMPS !
JE SUIS RESTÉ SUR PLACE POUR... EUH... RÉFLÉCHIR À UN PLAN !
AH ! ALORS ÇA SIGNIFIE QUE CE N'EST PAS UN VER MORTEL DE MONGOLIE !
UN VER DE MONGOLIE ?
OUI ! IL SERAIT SORTI POUR TE DÉVORER !
7

MAIS LA SITUATION EST TOUJOURS CRITIQUE ! RESTEZ À L'EXTÉRIEUR ET COUVREZ-MOI, LES GARS !
JE VAIS ÉVALUER LE NIVEAU DE DANGER !
BURP ! POURQUOI ME REGARDEZ-VOUS COMME ÇA ?
!?
ALORS, KOLIK ! TU NE LA FAIS PAS DISPARAÎTRE, CETTE BRUTE ÉPAISSE ?
INUTILE ! CE N'EST QU'UN BIGODOU !
UN QUOI ?
8

AH, ZUT !
UN BIGODOU ! *TSSK !* DIRE QU'ON ÉTAIT PRÊTS À SE BATTRE !

LES BIGODOUX NE SONT PAS DES MONSTRES DANGEREUX, DONALD ! CE SONT DES PARASITES INTERSTEL-LAIRES QUI NE SE NOURRISSENT PAS D'ÊTRES VIVANTS !

CELUI-CI VA RESTER ICI QUELQUES SEMAINES, PUIS IL REPARTIRA SUR UNE AUTRE PLANÈTE !
IL EST *INOFFENSIF* ET IL NE SÈMERA PAS LA *PANIQUE* DANS CES CONTRÉES SAUVAGES...
DONC...

L'A.N.P.E. NE PEUT PAS INTERVENIR ! TU VAS DEVOIR TE DÉBROUILLER SEUL AVEC TON INVITÉ !
MAIS... MAIS...

EN TOUTE *DISCRÉTION* ! L'A.N.P.E. EST TENUE AU *SECRET* SUR LES ALIENS !
MAIS...
9

NE T'EN FAIS PAS, DONALD ! *MOI*, JE T'AIDERAI !
!

POURQUOI ES-TU RESTÉ ICI ?
ET POURQUOI PAS ?
JE T'AIDERAI, GRÂCE À CE LIVRE GÉNIAL QUE JE VIENS DE LIRE, COUSIN !
SE DÉBARRASSER D'UN HÔTE INDÉSIRABLE
DR. JEXPULSE
MIAM ! CROC ! BURP !
PFFF ! AU POINT OÙ J'EN SUIS, JE SUIS PRÊT À TOUT POUR M'EN DÉBARRASSER !
JE LE SAVAIS !
LAISSE-MOI JETER UN COUP D'ŒIL SUR CE LIVRE !
SI L'UN DE NOUS DOIT DIRIGER L'OPÉRATION, POPOP, CE SERA MOI !
10

LOGIQUE, NON ? PUISQUE CE BIGODOU A ENVAHI *MON* CHALET, C'EST À *MOI* DE LUI POURRIR LA VIE !

HUM ! *"L'APPEL INVISIBLE"* !
C'EST SIMPLE : TU FRAPPES PLUSIEURS FOIS À LA PORTE...

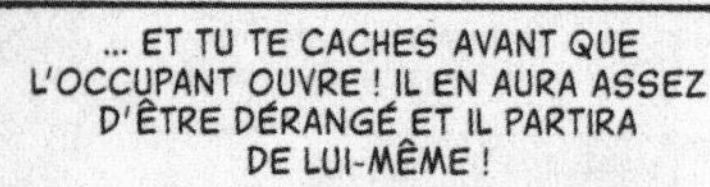
... ET TU TE CACHES AVANT QUE L'OCCUPANT OUVRE ! IL EN AURA ASSEZ D'ÊTRE DÉRANGÉ ET IL PARTIRA DE LUI-MÊME !

SÛR, IL PARTIRA ! NOUS USERONS SA PATIENCE, À FORCE DE FRAPPER !
SORS LE *PERTURBATEUR SONIQUE* DE L'A.N.P.E. !

DONALD ! ON N'EST PAS EN MISSION ! ON NE PEUT PAS UTILISER LEURS ARMES !
11

MAIS VOICI MON *BRAS ARTICULÉ* ! C'EST UN DE MES GADGETS *PERSONNELS* !

EXPLIQUE-MOI COMMENT ÇA MARCHE !
C'EST FACILE ! MÊME UN ENFANT S'EN SERVIRAIT ! MAIS LAISSE-MOI FAIRE !

ADMIRE !
BAM-BAM-BAM !
!

BON ! QUI EST LÀ ? BURP !

PERSONNE ?! HUMMM...
VLAN !

BAM-BAM-BAM !
12

MIAM ! OH, NON ! ENCORE ?
IL EN A DÉJÀ ASSEZ !

VLAN !
J'AI COMPRIS ! PRÊTE-MOI TON GADGET, POPOP !
IL N'Y A PAS DE RAISON QUE TU SOIS *LE SEUL* À T'AMUSER !
GRRR ! JE M'EN DOUTAIS !
!?
IIIRK !
BLAM-BLAM-BLAM !
IIIIHK ! NOOOON ! AAAAH ! OUIIIILE !
13

DONALD ?
TE VOILÀ... GLOUG !... QUE FAISAIS-TU, PENDANT QUE JE DÉGUSTAIS ?
"SOUVENT, LES VICTIMES PRENNENT L'HÔTE INDÉSIRABLE POUR UN NAÏF, SANS NOTER QU'IL PEUT À SON TOUR DEVENIR DE PLUS EN PLUS MALIN..."
JE L'AVAIS NOTÉ... PFIUT !... JE DEVRAIS PARTIR PENDANT QUE JE SUIS ENCORE ENTIER...
MAIS CE GOINFRE PILLE MES PRÉCIEUSES PROVISIONS, MÉTHODIQUEMENT, COMME UNE ABEILLE...
EH ! LES ABEILLES POURRAIENT FAIRE FUIR UN HÔTE INDÉSIRABLE !
IL Y A UN NID AU-DESSUS DE LA CHEMINÉE ! SI JE LE FAIS TOMBER, MON BIGODOU FILERA SANS DEMANDER SON RESTE !
14

À PREMIÈRE VUE, ÇA PEUT MARCHER. MAIS *COMMENT* LE FAIRE TOMBER DANS LA CHEMINÉE ?
POPOP ! J'AURAIS BESOIN D'UN FUSIL !
PAS DE PROBLÈME ! JE T'EN RAPPORTE UN !
?
BOUM BOUM BLAM BOUM BOUM !
!
JE L'AI EMPRUNTÉ À *L'ERMITE*, EN BAS ! TU DEVRAIS POUVOIR T'ARRANGER AVEC LUI, APRÈS !
POPOP ! OH, NON !
TANT PIS ! C'EST LE MOMENT OU JAMAIS !
BOUM !
15

BOUM !
FLÛTE ! LE NID A BOUGÉ, MAIS IL NE TOMBE PAS !!
LES BALLES AURAIENT DÛ LE DÉCROCHER ! QU'Y A-T-IL, DANS CE FUSIL, POPOP ?
DU GROS SEL, COUSIN !
ÇA FAIT MOINS DE DÉGÂTS ! SON PROPRIÉTAIRE S'EN SERT POUR EFFRAYER LES DÉMARCHEURS !
TU AURAIS PU ME LE DIRE AVANT !
AÏE ! MAIS TU NE M'AS RIEN DEMANDÉ ! AAAAH !
OUUUUILLE !
SPLOTCH !
16

APRÈS DE LONGUES MINUTES SOUS L'EAU...
GRRR ! LA CHANCE SEMBLE AVOIR CHOISI CE MAUDIT BIGODOU !
ALLONS ! OÙ EST PASSÉ TON ESPRIT COMBATIF ?
TU NE SERAIS PAS MON COUSIN PRÉFÉRÉ, SI TU N'AVAIS PAS DE CRAN !
MON CRAN A ÉTÉ NEUTRALISÉ PAR LES PIQÛRES...
... PUIS LESSIVÉ PAR CETTE RIVIÈRE... OH !
DIS-MOI QUE TU AS UNE MANIVELLE DANS TON AUTO, POPOP !
BIEN SÛR ! JE NE SAIS JAMAIS QUAND MA VOITURE, À PNEUS SANS CAOUTCHOUC, TOMBERA EN PANNE !
SE DÉBARRASSER D'UN HÔTE INDÉSIR
17
HÉ ! HÉ ! ÇA VA MARCHER ! VIENS M'AIDER, POPOP !

ON VA OBSTRUER LA RIVIÈRE ET INONDER LE CHALET, POUR CHASSER LE BIGODOU !
DONALD... LE LIVRE RECOMMANDE CETTE TECHNIQUE POUR LES CAMPINGS, PAS POUR LES BÂTIMENTS EN DUR !
TU CONNAIS LE DICTON : "AUX GRANDS MAUX LES GRANDS REMÈDES."... AOURF !
AINSI...
PFIOU ! LE BARRAGE EST PRÊT ! CREUSONS UN CANAL POUR L'EAU !
IL DOIT Y AVOIR DES PELLES DANS CETTE CABANE À OUTILS, LÀ-BAS !
MALHEUREUSEMENT... PFFF !... QUAND ON AURA FINI DE CREUSER... ARGH !...
... ON SERA TROP FATIGUÉS POUR DÉTOURNER LA RIVIÈRE ! POUF ! HAN !
ON PEUT ATTENDRE QU'ELLE DÉBORDE DU BARRAGE ! OU LE FAIRE SAUTER À LA DYNAMITE !
SE DÉBARRASSER D'UN HÔTE INDÉSIRABLE
18

J'EN AI VU DANS LA CABANE À OUTILS !
M-MAIS DONALD... SI ON FAIT SAUTER LE BARRAGE DU MAUVAIS CÔTÉ...
... ON RISQUE DE BLESSER LE BIGODOU !
CE VOLEUR DE NOURRITURE MÉRITE DES BOSSES ET DES BOBOS !
TU VAS VOIR, CETTE MÉGAGROSSE CHARGE VA LE FAIRE DÉGUERPIR !
TOUS AUX ABRIS ! ÇA VA CHAUFFER !
BLOUM !
EUH... DONALD...
19

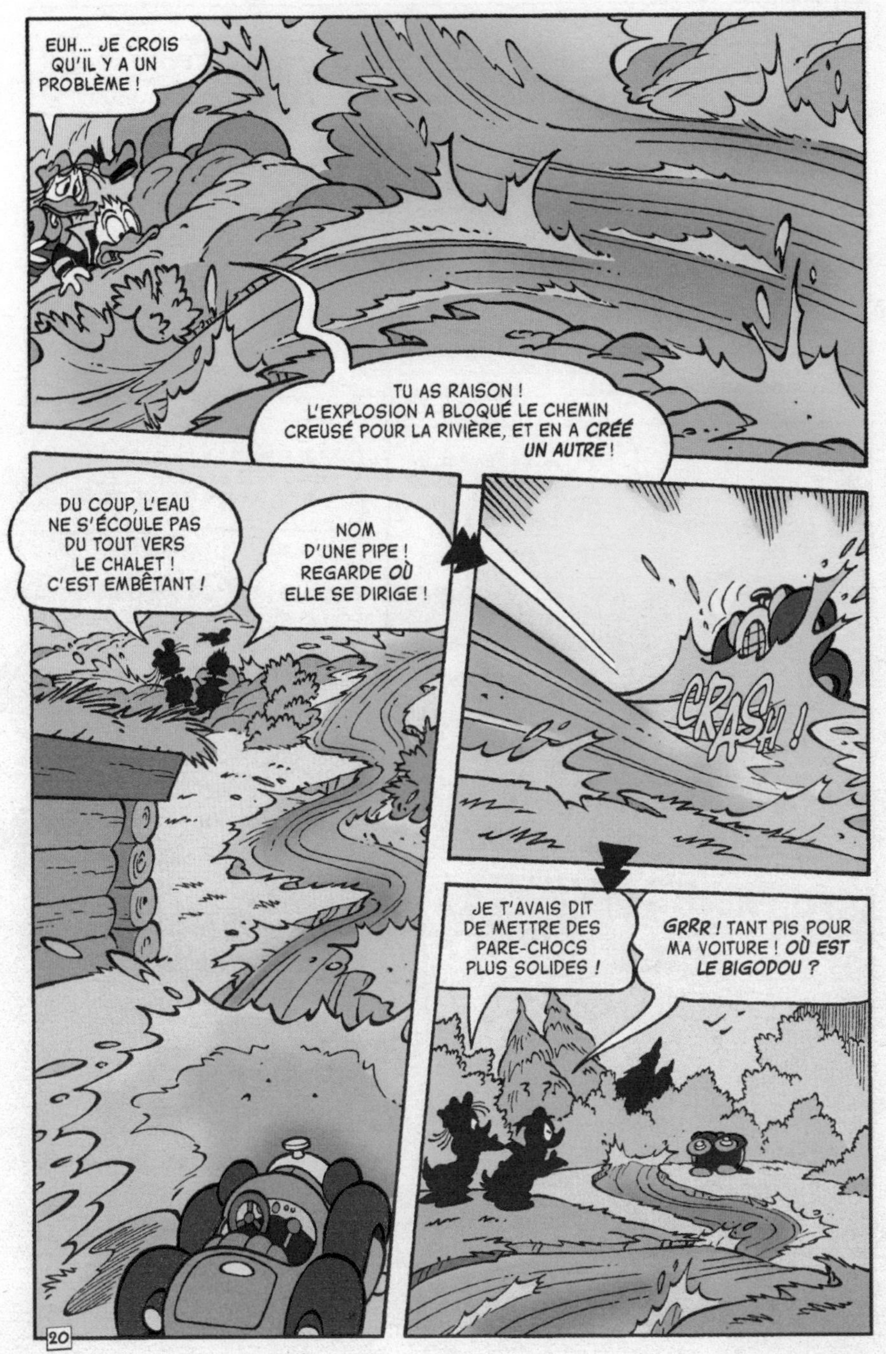
EUH... JE CROIS QU'IL Y A UN PROBLÈME !
TU AS RAISON ! L'EXPLOSION A BLOQUÉ LE CHEMIN CREUSÉ POUR LA RIVIÈRE, ET EN A CRÉÉ UN AUTRE !
DU COUP, L'EAU NE S'ÉCOULE PAS DU TOUT VERS LE CHALET ! C'EST EMBÊTANT !
NOM D'UNE PIPE ! REGARDE OÙ ELLE SE DIRIGE !
CRASH !
JE T'AVAIS DIT DE METTRE DES PARE-CHOCS PLUS SOLIDES !
GRRR ! TANT PIS POUR MA VOITURE ! OÙ EST LE BIGODOU ?
20

EUH... J'ARRÊTE, AVEC MES QUESTIONS STUPIDES ?
MIAM ! CRUNCH !
HUM ! ON POURRAIT TENTER UNE ATTAQUE SONORE !
EN PASSANT MON CD DE CANARD AU VOLUME MAXIMUM...
NON ! NON ! REMBALLE-LE ! JE N'OSERAIS MÊME PAS L'IMPOSER À UN ÊTRE INTELLIGENT !
ET PUIS, QU'Y GAGNERIONS-NOUS ? CE GOINFRE A DÉJÀ DÛ AVALER TOUTES MES RÉSERVES !
BURRRRPP !
BON, ÇA IRA ! C'EST L'HEURE ! BURRRRPP !
21

CHOUETTE ! IL S'EN VA, AU MOMENT OÙ JE NE L'ESPÉRAIS PLUS !
ET COMMENT, QUE J'M'EN VAIS !
JE PARS À LA RECHERCHE DE NOURRITURE ! JE SUIS UN EXPERT CHERCHEUR ! JE VEUX JUSTE ME TROUVER UN JOLI PETIT COIN SALE, TOUT DOUX...
ALORS, SI VOUS VOULEZ BIEN ME LAISSER PASSER...
OUF ! DOMMAGE QUE CE NE SOIT PAS NOS EFFORTS QUI L'AIENT CHASSÉ !
LE PRINCIPAL, C'EST QUE J'AI RETROUVÉ MON CHALET ! ET CE BIGODOU NE REVIENDRA PLUS ME...
OHÉÉÉ ! ONC'DONALD ! OÙ ES-TU ?
!??
22

ON VOULAIT S'EXCUSER D'AVOIR ÉTÉ AUSSI ODIEUX, CE MATIN...
RIRI, FIFI ET LOULOU ! IL NE MANQUAIT PLUS QU'EUX !

CACHE-TOI LÀ-DEDANS, LE GROS MACHIN ! QUE MES NEVEUX NE TE VOIENT PAS !

TOI AUSSI, POPOP ! ILS CROIENT QUE JE SUIS SEUL !

IL FAUT QU'ILS PARTENT ! QUELQUES RÉFLEXIONS BIEN SENTIES SUR MA TRANQUILLITÉ DEVRAIENT SUFFIRE !

GRAND-MÈRE NOUS A DONNÉ CETTE TARTE ET NOUS A CONDUITS ICI POUR TE...
DÉPOSEZ-LA PAR TERRE ET ALLEZ-VOUS-EN !
TU NE NOUS INVITES PAS À LA PARTAGER ?
NON ! JE VEUX ÊTRE SEUL !
23

MAIS, ONC'DONALD... ON A FAIT TOUTE CETTE ROUTE EXPRÈS POUR...
J'AI DIT : "ALLEZ-VOUS EEEEEN !"
DONALD ! COMMENT OSES-TU ÊTRE AUSSI DUR AVEC CES ENFANTS ?
GRAND-MÈRE ?! JE... JE...
JE... JE... GLOUPS !
BURP!
DÉSOLÉ, MAIS ILS N'ENTRERONT PAS DANS MON CHALET, UN POINT...
... C'EST TOUT !
24

LE TEMPS PASSE...
ÇA FAIT UNE DEMI-HEURE ! GRAND-MÈRE ET LES ENFANTS NE TARDERONT PLUS À PARTIR, MAINTENANT !
À CE MOMENT-LÀ, TU POURRAS T'EN ALLER !
J'ESPÈRE BIEN ! J'AI *FAIM*, MOI ! ***BURP!***
BON SANG ! *DAISY ?!*
OUI, DONALD ! LES ENFANTS M'ONT APPELÉE EN RENFORT ! LAISSE-LES ENTRER ET *RÉCONCILIEZ-VOUS !*

EUH... ÇA, N'EST PAS POSSIBLE !
BURP!
25

HEIN ? J'AI CRU ENTENDRE...
AHEM ! JE NE LAISSERAI PERSONNE TROUBLER MA TRANQUILLITÉ ! À PRÉSENT, PARTEZ TOUS !

DONALD ! JE NE COMPRENDS PAS CE QUI T'ARRIVE...

LE *RESTE DE LA FAMILLE* LE RAMÈNERA À DE MEILLEURS SENTIMENTS !

LE TEMPS PASSE...

IL A *TOUJOURS* EU MAUVAIS CARACTÈRE, MAIS LÀ...

CE GARÇON NE VA PAS BIEN. UN GENRE DE DÉPRESSION NERVEUSE...

JE SUIS *INQUIET*, DONALD ! LE SECOUTOUALA PEUT ATTENDRE !

CETTE FOIS, JE M'EN VAIS ! ET PERSONNE NE M'EN EMPÊCHERA !
AAARGH ! NOOON !
26

NON ! TU RESTES ! JE NE VEUX PAS QUE TU *TERRORISES* CES BRAVES GENS !
JE M'EN FICHE ! J'AI *FAIM* !
QUAND ILS RÉALISERONT QUE TU NE RESSEMBLES À AUCUN ANIMAL CONNU, ILS VONT ALERTER LES MÉDIAS !
GLIIIP ! ET ÇA VA FINIR PAR ARRIVER AUX OREILLES DE...
... L'A.N.P.E.... *HUM*...
TU M'AS BIEN DIT QUE TU CLASSAIS LES DOSSIERS *PERSONNELS*, ET NOTAMMENT CELUI DE...
UN PEU PLUS TARD...
QUEL CHANGEMENT D'HUMEUR SOUDAIN, DONALD !
ON PENSAIT QUE TU NE NOUS LAISSERAIS *JAMAIS* ENTRER !
J'AI JUSTE EU UN *PROBLÈME MONSTRE*... ET J'AI DÛ FAIRE UN GRAND MÉNAGE !
27

UN PROBLÈME ? AH, TU VEUX PARLER DE CE TROU DANS LE SOL, SANS DOUTE !
EUH... NON, PAS ÇA ! IL ÉTAIT DÉJÀ LÀ, À MON ARRIVÉE !
IL DEVAIT S'AGIR DE VOLEURS... EUH...... ILS N'ONT PRIS QUE LA NOURRITURE !
HELLO, DONALD ! COMME JE PASSAIS DANS LE COIN...
POPOP ! QUELLE SURPRISE ! ENTRE DONC !
EN FAIT, C'EST PÉNIBLE D'ÊTRE TOUT SEUL !
SI VOUS NE M'EMBÊTEZ PAS, JE DEVRAIS POUVOIR M'ENTENDRE AVEC VOUS TOUS !
28

ALORS ? OÙ EST-IL, NOTRE INDÉSIRABLE, POPOP ?
NE T'INQUIÈTE PAS, DONALD !
APRÈS AVOIR ARRACHÉ LE PLANCHER, LE BIGODOU A CREUSÉ UN TUNNEL D'ENVIRON CINQUANTE MÈTRES !
JE LUI AI SUGGÉRÉ D'ALLER S'INVITER DANS UN CERTAIN ENDROIT...
"... OÙ LA PERSONNE QUI Y HABITE NE RISQUE PAS DE PANIQUER EN LE DÉCOUVRANT !"
SCRIIICH !
"REMERCIE LES DOSSIERS PERSONNELS DE L'A.N.P.E.. !"
PFOP
?
29

BURP!
IL ME RESTE CINQ SEMAINES AVANT DE REPARTIR CHEZ MOI !
30
FIN

GREEN
LES *GREEN LANTERN* ONT JURÉ DE PRÉSERVER L'ORDRE INTERGALACTIQUE GRÂCE À LEURS SUPER-POUVOIRS.
MAIS QUAND PARALLAX, LEUR PIRE ENNEMI, LES MENACE, HAL JORDAN, L'ÉLU HUMAIN SERA LE SEUL À POUVOIR LES SAUVER.
AU CINÉM
EN 3D DANS
WB GAMES

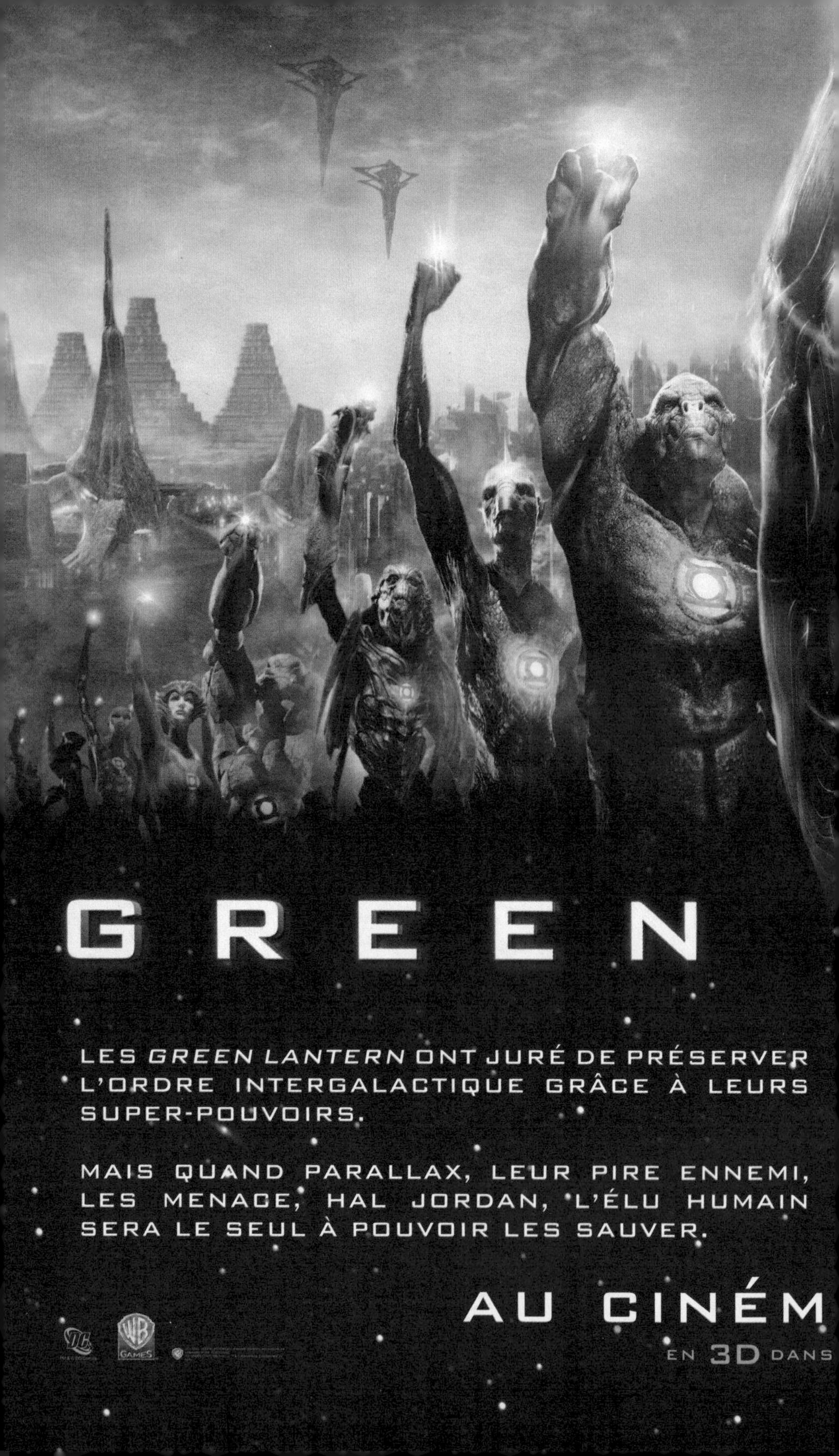

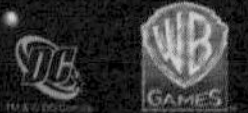

ANTERN

REJOIGNEZ LE CORPS
DES GREEN LANTERN
DANS LE JEU VIDÉO

DISPONIBLE LE 28 JUILLET

LE 10 AOÛT

LLES ÉQUIPÉES

WARNER BROS. PICTURES

Walt Disney
COURSES DE VOYAGE

APRÈS EN AVOIR RÊVÉ, ON VA ENFIN PASSER DE *VRAIES* VACANCES AVENTUREUSES !
... CHAUSSURES DE MARCHE...
CAISSE 2
BIP

EUH... EXCUSE-MOI, MAIS...
... TENTE AVEC AIR CONDITIONNÉ...
CAISSE 2
BIP

... IL VA FALLOIR, HÉLAS, LES REMETTRE À L'AN PROCHAIN !
MAIS, DONALD ! TU M'AVAIS PROMIS !
... ET FOUR À MICRO-ONDES DE CAMPING !
BIP

JE SAIS, MAIS JE VIENS DE DÉPENSER *TOUTES MES ÉCONOMIES* EN MATÉRIEL !
PAR CHÈQUE OU CARTE BANCAIRE ?
CAISSE 2
4x8
X3
FIN

Walt Disney
TOUJOURS PLUS HAUT

OUF... POUF...
J-2827-01

POUF... POUF...

D'ACCORD... EN VOYANT TA TÊTE, ON POURRAIT PENSER QUE TU ES UN VÉRITABLE ALPINISTE...

INITIATION À L'ESCALADE
... MAIS ESSAIE DE RAMPER SUR UNE PAROI UN PEU PLUS VERTICALE !
FIN

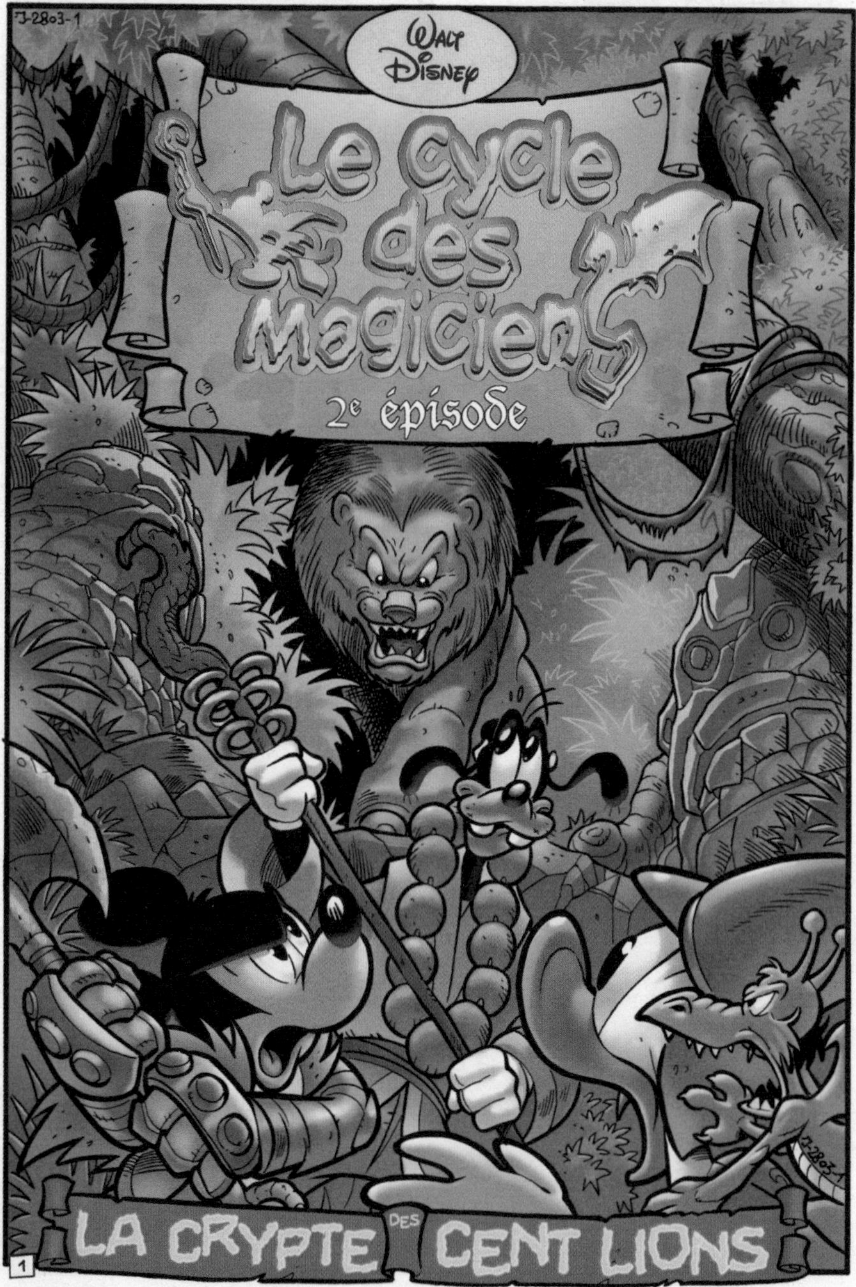

Scénario: S. Ambrosio - Dessins: L. Pastrovicchio

On aurait pu commencer par : c'était l'époque des légendes, des mages et des héros. Mais on préfère dire : c'est l'heure de la leçon de grammaire magique !
Pour réveiller le pouvoir des cristaux magiques : les diamagiques, il faut crier une formule de quatre mots.
EGG-VAN-FIRE-TRAAAL !
Le premier mot ordonne au diamagique de s'ouvrir pour libérer le doomspider qui est en lui.
Le deuxième mot active le contrôle du doomspider sur les éléments (feu, vent, nuages).
Les deux derniers mots disent de quel pouvoir il s'agit, et l'obligent à servir le mage qui l'a évoqué !
2

Après avoir acquis ces quelques notions de magie, explorons la côte de la mer de Samarra en compagnie des mages de l'équipe Lune de Diamant...
L'ARCHIPEL DES CÔTES D'ÉBÈNE ! JADIS, LES TROIS ÎLES FORMAIENT UNE SEULE TERRE, MAIS UN CATACLYSME MAGIQUE FRAPPA LE MONDE ET PROVOQUA UN SÉISME DÉVASTATEUR !
EN UNE NUIT, LE VIEUX CONTINENT AVAIT CESSÉ D'EXISTER !
3
LES TERRES QUI NE FURENT PAS ENGLOUTIES FORMÈRENT CES TROIS ÎLES !
TU ENTENDS, KIKI ? C'EST INCROYABLE !
MIAOU !

MAÎTRE NEREUS NOUS A DEMANDÉ DE DESSINER LA *CARTE* DU NOUVEAU MONDE, APRÈS LE CATACLYSME ! IL FAUT DONC EXPLORER L'ARCHIPEL !
SI ON UTILISE CE VIEUX RAFIOT, KIKI AURA DES MOUSTACHES BLANCHES AVANT QU'ON AIT FINI !
GNAOU !
IL N'EST PAS RAPIDE, MAIS IL EST SOLID... *OUPS* !
CRACK
NE VOUS APPUYEZ PAS N'IMPORTE OÙ ! VOUS VOULEZ NOUS FAIRE COULER ?!
SWISS
J'AI UNE IDÉE ! SÉPARONS-NOUS !
4

TSSK ! GRAND-PÈRE NE VOULAIT PAS PRENDRE DE FEMME À BORD !
POUR GAGNER DU TEMPS, CHACUNE EXPLORERA UNE ÎLE !
JE CHOISIS CELLE AVEC LES *RUINES* !
MOI, CELLE QUI N'A *PAS* DE VOLCAN !
ET VOUS ME LAISSEZ...
... CELLE QUI **EN A UN** ?!
PAS QUESTION !
POURQUOI AURAIS-JE LA PLUS DANGEREUSE ? C'EST INJUSTE ! TIRONS-LA AU SORT !
LADY CLARABELLE ! L'ÎLE CHOISIE PAR VOTRE AMIE EST INFESTÉE PAR DE **FÉROCES VARANS HYPERNERVEUX** !
OUPS !
PAS QUESTION DE CHANGER ! DÉBROUILLE-TOI !
5

DAISY, CE SERAIT PLUS SAGE DE CONFIER KIKI À CLARABELLE...
"... Tu la connais : elle adore chasser les lézards."
"Sur l'île, elle risquerait de te créer des problèmes, avec les varans !"
SGNAK
TU AS RAISON ! TIENS !
GNAOU, FSCHHH !*
Ainsi...
BONNE CHANCE ! ON REPASSERA DANS UN MOIS !
* "PFFF ! QUELLE VIE ! DÈS QU'IL Y A DE L'ACTION, CE N'EST PAS POUR MOI !"
6

Maintenant, voyons comment s'en sortent les Wizards of Mickey, également chargés par Maître Nereus de cartographier le nouveau monde !
COMME ÇA BROUILLASSE !
CET ENDROIT AURAIT DÛ S'APPELER *LANDES DE BRUME*, PLUTÔT QUE BRUYÈRE DE GRUYÈRE !
COURAGE ! IL ME SEMBLE APERCEVOIR UN CHÂTEAU DROIT DEVANT !
STHUMP
SCOUAAAC !
ÇA VA, DONALD ?
JE SAIS POURQUOI ON L'APPELLE BRUYÈRE DE GRUYÈRE. À CAUSE DES *TROUS* !
7

BRAVO, FAFNIR !
TU DISSIPES LES BRUMES, AVEC TA FLAMMÈCHE !

STOP ! OÙ ALLEZ-VOUS ?
DES ÉTRANGERS, ÊTES-VOUS ?

SALUT ! AMIS ! NOUS VENONS EN PAIX !
PSST ! TU LES AS ENTENDUS PARLER !

DES MAGES, ÊTES-VOUS OU NON ?
SYNTAXE TRÈS INTÉRESSANTE ! JE NOTE !
EUH... OUI !
HEIN ?
8

DURANT CE VOYAGE, JE VAIS ÉCRIRE UN DICTIONNAIRE DES LANGUES DE TOUS LES PEUPLES !
ÇA ÊTRE UN DRAGON, OU N'ÊTRE PAS ?
FOOOSH
ARRÊTE, FAFNIR ! PAS D'INCIDENT DIPLOMATIQUE, VU ? PFUIT !
UN BÉBÉ DRAGON ! ET C'EST NOTRE COPAIN !
VENEZ ! SECOUEZ UNE JAMBE !
SECOUER UNE JAMBE ? ÉTRANGE COUTUME !
*EN ANGLAIS, "SHAKE A LEG" (SECOUER UNE JAMBE) SIGNIFIE "SE DÉPÊCHER".
9

Cependant...
BZZZ
BZZZ
BZZZ
GROUMPF ! MAUDITS MOUSTIQUES ! J'AURAIS PEUT-ÊTRE DÛ CHOISIR LES VARANS !
AÏE ! ENNUIS EN VUE ! REGARDEZ ! DES PIRATES !
À L'ABORDAAAGE !
SAUVE QUI PEUT !
EH ! OÙ ALLEZ-VOUS, POLTRONS ?
FAITES COMME NOUS !
SPLASH
10

EN AVANT, BLACK PHANTOM ! LES PIRES MAGES-BOUCANIERS DES NEUF MERS, BIENTÔT, ILS REGRETTERONT D'AVOIR CROISÉ NOTRE ROUTE !
EUH... CHEF, IL N'Y EN A QUE SEPT !
JE SUIS LE CHEF, DONC J'AI RAISON MÊME QUAND JE DIS DES BÊTISES !
GROUMPF !
EN AVANT ! PILLEZ LA CARGAISON, BRÛLEZ LE RESTE ET AMENEZ-MOI CLARABELLE !
QUOI ? AMENER UNE FEMME SUR NOTRE BATEAU ?
ÇA PORTE MALHEUR ! LES MARINS LE DISENT !
GRRR ! ARRÊTEZ DE ME CONTREDIRE ! C'EST MOI LE CHEF !
11

SBONK
VOS CABOCHES VIDES N'IMAGINENT MÊME PAS QU'ELLE PUISSE M'ÊTRE UTILE !
CUISINER, LAVER OU REPASSER LE LINGE, N'ESPÉREZ PAS ME VOIR FAIRE TOUT CELA !
CLARABELLE, TU ME SERAS UTILE, ET MÊME *PRÉCIEUSE*, D'UNE AUTRE FAÇON !
GNAOUU ! FSCHHH ! GNAOUU !
OH ! QUE VA-T-ON FAIRE DE CETTE BESTIOLE ENRAGÉE ?
METS-LA SUR LA RIVE ET REMONTE À BORD ! UN CROCODILE FINIRA BIEN PAR S'EN OCCUPER !
12
MIAOU ?!*
* "ET MAINTENANT ?"

Pour répondre
à la pauvre kiki,
déplaçons-nous
au nord...
LA "BRUYÈRE" EST
FROIDE ET INHOSPITALIÈRE,
MAIS SES HABITANTS
SONT DES GENS
COURTOIS !
EN DÉCOUVRANT NOTRE
MISSION CARTOGRAPHIQUE,
ILS NOUS ONT OFFERT
L'HOSPITALITÉ, SANS
RIEN EXIGER !
ENCORE HEUREUX !
PAYER POUR MANGER
CETTE ESPÈCE
D'ÉPONGE BOUILLIE !
CELA S'APPELLE DU
PORRIDGE ! ET C'EST...
VITAMINÉ ! MIAM !
BEURK !
JE DONNERAIS
N'IMPORTE QUOI
POUR UN PLAT DE
FRITES ! MAIS ILS
NE CONNAISSENT
MÊME PAS
CE MOT !
ELLES ONT PEUT-
ÊTRE UN AUTRE
NOM. CHAQUE
PEUPLE A SES
PROPRES
MOTS...
13

... ET SES EXPRESSIONS ! "IL PLEUT DES CHATS ET DES CHIENS", SIGNIFIE ICI QU'IL "PLEUT DES CORDES !"*
* EN ANGLAIS : "IT RAINS CATS AND DOGS" (LITTÉRALEMENT : "IL PLEUT DES CHATS ET DES CHIENS", POUR DIRE : "IL PLEUT À VERSE").

MIAOUUU !
SBAM
ARGH !

OH ! ICI, C'EST PLUS QU'UNE EXPRESSION !

OHÉ ! SALUT, LES "SANS-ÉCAILLES" ! JE VOUS RAMÈNE UNE COPINE EN DIFFICULTÉ !
14

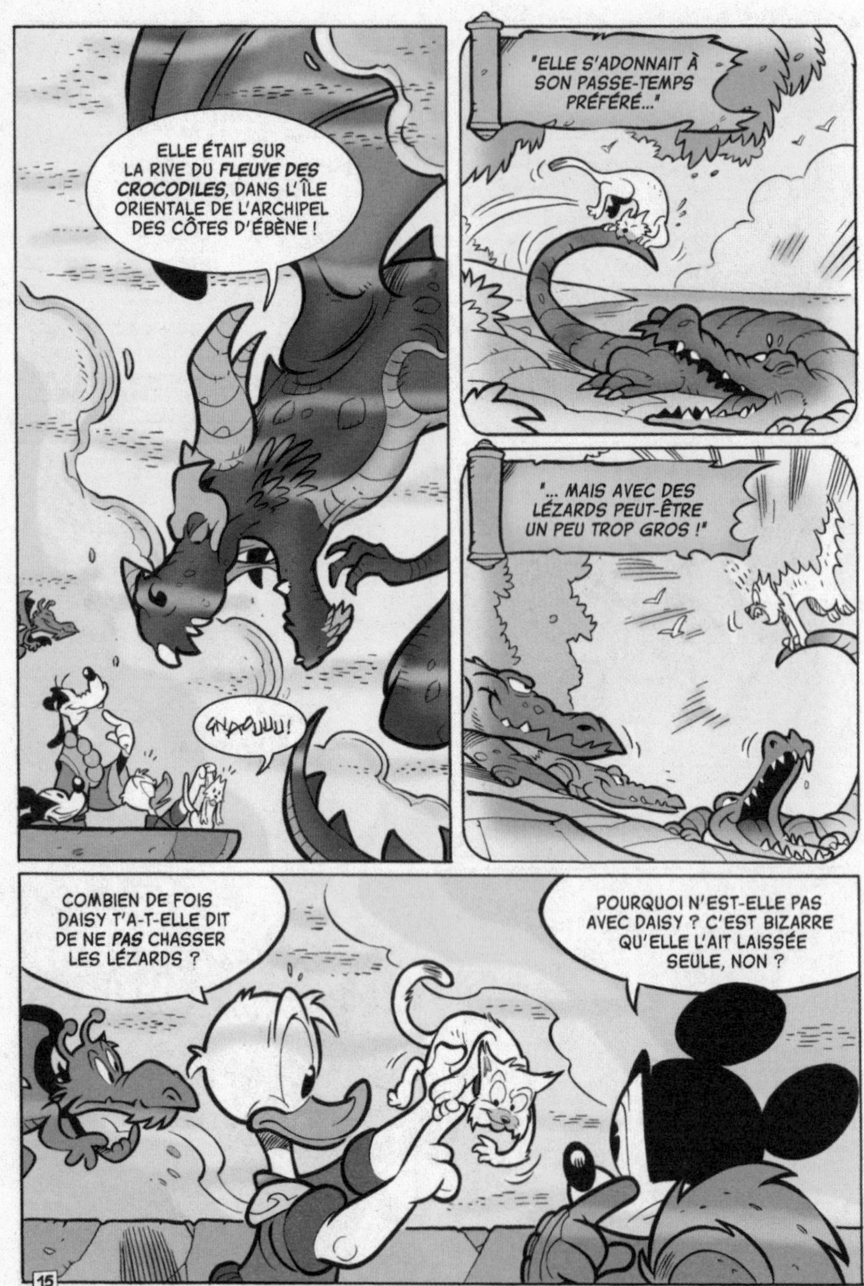
ELLE ÉTAIT SUR LA RIVE DU *FLEUVE DES CROCODILES*, DANS L'ÎLE ORIENTALE DE L'ARCHIPEL DES CÔTES D'ÉBÈNE !
GNAOUUU !
"ELLE S'ADONNAIT À SON PASSE-TEMPS PRÉFÉRÉ..."
"... MAIS AVEC DES LÉZARDS PEUT-ÊTRE UN PEU TROP GROS !"
COMBIEN DE FOIS DAISY T'A-T-ELLE DIT DE NE *PAS* CHASSER LES LÉZARDS ?
POURQUOI N'EST-ELLE PAS AVEC DAISY ? C'EST BIZARRE QU'ELLE L'AIT LAISSÉE SEULE, NON ?
15

C'EST MÊME INQUIÉTANT ! FONÇONS AUX ÎLES D'ÉBÈNE !

FOOOSH
NOUS PRENDRONS LA VOIE DES AIRS !

EGG-TOR-WIND-RUUUL ! QUE LE DIAMAGIQUE DU VENT S'ENTROUVRE ET LIBÈRE SON POUVOIR SECRET !
16

BON VOYAGE, ET FAITES ATTENTION AUX...
TSSK ! TOUJOURS PRESSÉS, CES "SANS-ÉCAILLES" ! ILS N'ÉCOUTENT JAMAIS LES CONSEILS !
J'ESPÈRE QU'ILS N'AURONT PAS L'IDÉE DE VIOLER L'ANTIQUE CRYPTE !
Eux, peut-être pas, mais d'autres par contre...
C'EST LOIN ? OÙ ALLONS-NOUS ? POURQUOI AVOIR ABANDONNÉ LE BATEAU ? C'ÉTAIT PLUS PRATIQUE ?
17

JE CRAQUE ! ÇA FAIT TROIS HEURES QU'ELLE ROUSPÈTE !
LA MOITIÉ DES HOMMES A DÉSERTÉ, POUR NE PLUS L'ENTENDRE !
PEUT-ÊTRE EST-CE JUSTEMENT ÇA, LE POUVOIR QUI NOUS AIDERA À CONQUÉRIR NOTRE BUTIN !
DE QUOI PARLES-TU, CHEF ?
DU TRÉSOR DE LA CRYPTE AUX CENT LIONS ! IL REMONTE À L'ÉPOQUE DE LA PREMIÈRE GUERRE DES DRAGONS ! IL SERAIT CONSTITUÉ DES PLUS PUISSANTS DIAMAGIQUES DU MONDE !
ON DIT AUSSI QUE PERSONNE NE PEUT VAINCRE LES GARDIENS DE CE TRÉSOR !
TU TE TROMPES ! DANS CE PARCHEMIN QUE J'AI SUBTIL... EUH... TROUVÉ, IL EST ÉCRIT QUE NUL HOMME NE PEUT VAINCRE LES GARDIENS !
18

MAIS ELLE N'EST PAS UN HOMME !
GRRR ! MALOTRU !
VOILÀ POURQUOI, TU L'AS PRISE À BORD DU NAVIRE, BIEN QU'ELLE SOIT UNE FEMME !
BRAVO, ON DIT QUE TU ES LE GÉNIE DE LA FAMILLE ! ON VERRA AVEC QUEL ARTIFICE ELLE VAINCRA LES GARDIENS !
Cependant, ailleurs...
VOILÀ LE FLEUVE DES CROCODILES ! IL Y A UN BATEAU ÉCHOUÉ...
19

... CE QUI NE PRÉSAGE RIEN DE BON !

PAS PLUS QUE CES LANCES ! OUAC !
SWISSS
SWISSS

JUJU ! JUJU ! JUJU !

SWISSS
JUJU ! JUJU !
SWISSS
SWISS
BONK
20

BIZARRE ! ILS EN ONT APRÈS NOTRE MONTURE ! METTONS-LA À L'ABRI ! CLOS-TOR-WIND-RUUUL !
Z-WAAASH
JUJU ? JUJU ?
JUJU ! JUJU ! JUJU !
EH ! MAIS...
ON DEVRAIT LES SUIVRE !
JE VOIS ENCORE TRENTE-SIX CHANDELLES...
21

Quelqu'un d'autre se réjouit d'avoir atteint le but de son voyage !
JUJU ?
NOUS VOICI À LA CRYPTE AUX CENT LIONS !
BOF ! LE STYLE "RUINE" EST DÉMODÉ, EN ARCHITECTURE !
22
ENTREZ ! ALLEZ VOIR S'IL N'Y A PAS DE PIÈGES !
ET POURQUOI NOUS, D'ABORD ?
C'EST MOI LE CHEF, ! S'IL Y A UN PIÈGE, C'EST À VOUS DE TOMBER DEDANS EN PREMIER !

ET SI ON VOTAIT ?
J'Y VAIS, TAS DE COUARDS !
VITE ! VENEZ ! LA VOIE EST SÛRE !
OOOH !
23

IL Y EN A VRAIMENT CENT ?
ATTENDS, JE COMPTE ! UN, DEUX, TROIS... QU'EST-CE QUI VIENT APRÈS TROIS ?
SBONK
ÇA SUFFIT ! AMÈNE-MOI CLARABELLE ICI !
AÏE ! TU M'AS FAIT PERDRE LE COMPTE ! J'ÉTAIS BIEN PARTI...
PFFF !
VOICI MON PLAN : ON ARRACHE LES DIAMAGIQUES DES STATUES...
... ET SI LES GARDIENS SE RÉVEILLENT, TU T'EN OCCUPES GRÂCE AU MYSTÉRIEUX ARTIFICE FÉMININ DONT PARLE LA LÉGENDE !
BRAVO ! TU AS RÉUSSI À LES RÉVEILLER !
?
24

OOOOH !
JE M'ÉVANOUIS !
J'AI COMPRIS ! LE TRÉSOR ET LES GARDIENS FORMENT UN TOUT ! ON NE PEUT PAS PRENDRE LES DIAMAGIQUES SANS RÉVEILLER LES LIONS !
25
ROOOAAARRRR !

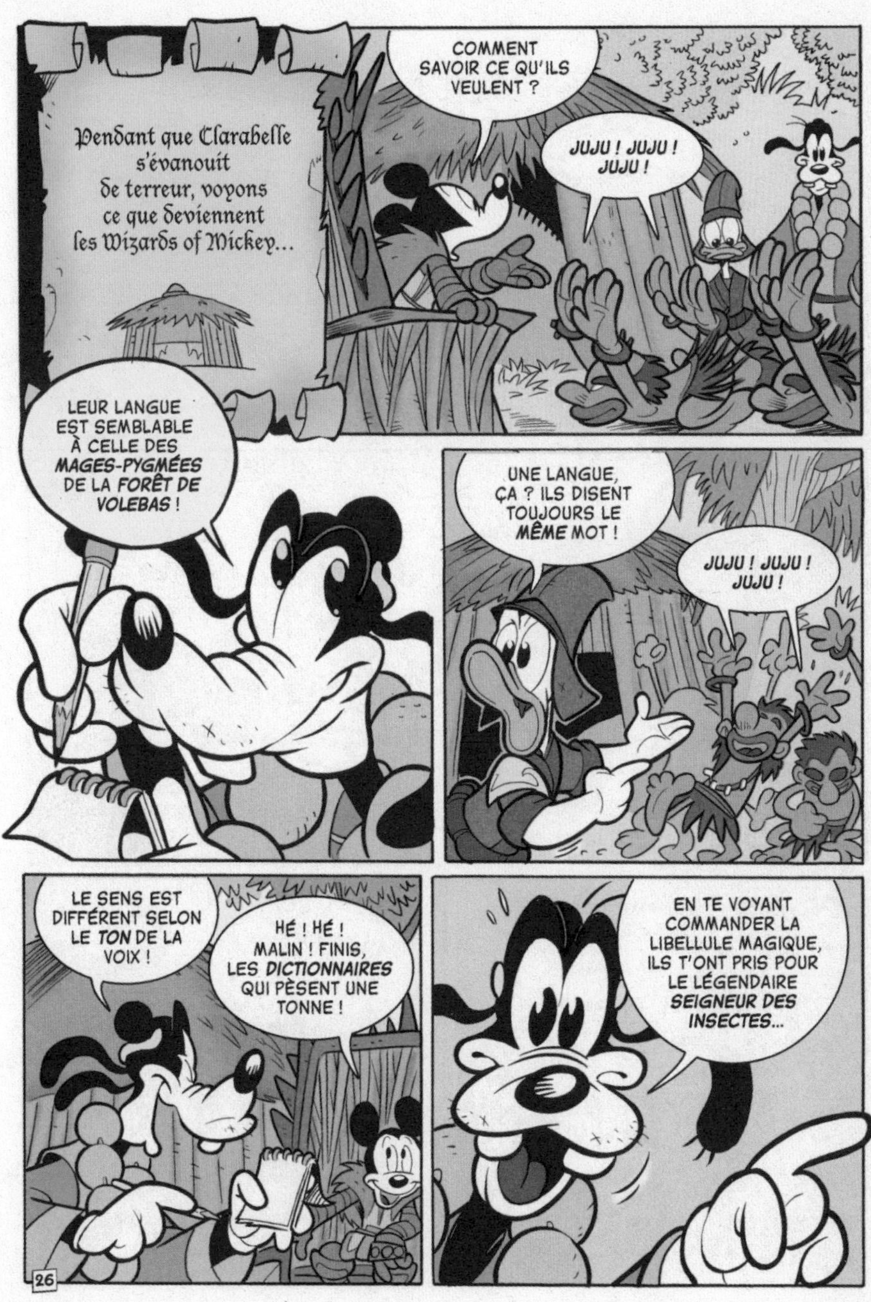
Pendant que Clarabelle s'évanouit de terreur, voyons ce que deviennent les Wizards of Mickey...
COMMENT SAVOIR CE QU'ILS VEULENT ?
JUJU ! JUJU ! JUJU !
LEUR LANGUE EST SEMBLABLE À CELLE DES MAGES-PYGMÉES DE LA FORÊT DE VOLEBAS !
UNE LANGUE, ÇA ? ILS DISENT TOUJOURS LE MÊME MOT !
JUJU ! JUJU ! JUJU !
LE SENS EST DIFFÉRENT SELON LE TON DE LA VOIX !
HÉ ! HÉ ! MALIN ! FINIS, LES DICTIONNAIRES QUI PÈSENT UNE TONNE !
EN TE VOYANT COMMANDER LA LIBELLULE MAGIQUE, ILS T'ONT PRIS POUR LE LÉGENDAIRE SEIGNEUR DES INSECTES...
26

... QUI APPORTE DANS LA JUNGLE LEUR *UNIQUE* NOURRITURE...
AH, JE VOIS ! ON VA ENFIN MANGER !
JUJU !
... COMPOSÉE D'INSECTES ET DE LARVES !
POUAH !
JUJU !
AUJOURD'HUI, JE JEÛNE ! L'ÉPONGE BOUILLIE... MAINTENANT, DES CHENILLES...
REMERCIE-LES POUR LA NOURRITURE ET DIS-LEUR QUE NOUS SOMMES PRESSÉS !
DEMANDE-LEUR AUSSI S'ILS ONT APERÇU NOS AMIES DANS LA JUNGLE !
27
JUJU ?
JUJU ! JUJU !

Cependant…

ÇA SE GÂTE ! ILS NOUS MORDENT ET CLARABELLE NE SE RÉVEILLE TOUJOURS PAS… OUAÏÏE !
SGNAC

ALLEZ ! RÉVEILLE-TOI ! TOI SEULE PEUX ARRÊTER CES SALES BÊTES !

QUI ES-TU ? MON PRINCE CHARMANT ?
28

NON, JUSTE UN RUSTRE BARBU ! JE ME RÉ-ÉVANOUIS… OOOH !!

GRPOURFFLL !
ZOOOT
LIBÈRE CLARABELLE, DINGO ! DONALD, AVEC MOI !
LE NABOT ! COMMENT FAIS-TU POUR TOUJOURS TE RETROUVER DANS MES PATTES ?
MAIS LÀ, TU ES CONTENT DE ME VOIR !
REMERCIE DINGO ET SES AMIS PYGMÉES QUI VOUS ONT VUS ARRIVER À LA CRYPTE !
EN RÉVEILLANT LES GARDIENS, VOUS AVEZ MIS EN PÉRIL LA JUNGLE TOUTE ENTIÈRE !
29

J'IGNORAIS... JE NE VOULAIS PAS...
C'EST LE PROBLÈME, AVEC LA CUPIDITÉ ! TU NE PENSES QU'AUX TRÉSORS, JAMAIS AUX CONSÉQUENCES !
CRAAAK
MAIS MOI, J'AI LE MOYEN DE LES ARRÊTER ! SELON LA LÉGENDE, UNE *FEMME* PEUT LES VAINCRE !
AH ? COMMENT ? *AÏE* !
ZAFF
JE CROIS LE SAVOIR ! REGARDEZ CETTE STATUE, LA *SEULE* QUI NE S'EST PAS RÉVEILLÉE ! ELLE REPRÉSENTE UNE *LIONNE* !
30
ELLE N'A PAS DE CRINIÈRE !
NON ! ET COMME CE SONT LES FEMELLES QUI COMMANDENT...

... CES LIONS MAGIQUES OBÉISSENT PEUT-ÊTRE AUSSI À LEUR... REINE !
QUI NE PEUT ÊTRE ÉVEILLÉE QUE PAR UNE MAIN FÉMININE ! ÇA SE TIENT !
C'EST CUIT ! LA SEULE FEMME DU GROUPE EST ÉVANOUIE !
ERREUR, MON CHER !
GERTRU-DE ?!
CONTENT DE ME VOIR ?
ARGH !
ON AVAIT UNE FEMME À BORD DEPUIS LE DÉBUT ?!
31

VOUS NE M'AURIEZ JAMAIS LAISSÉ PARTICIPER À VOTRE AVENTURE, SI VOUS AVIEZ SU QUE J'ÉTAIS UNE FEMME...
... DONC JE ME SUIS TRAVESTIE ! ET MAINTENANT...
ZAAAP
RAAAWWL
MON AMIE, NE LAISSE PAS TES LIONS AFFAMÉS DÉVORER MES AMIS !
CERTES, ILS SONT BÊTES ET SUPERSTITIEUX MAIS...
... MON *CHOUCHOU* M'AIME, PAS VRAI ?
OUI, MA *COLOMBE* !
32

UNE CHANCE QU'ON LES AIT ARRÊTÉS !
J'EMPORTE CLARABELLE DEHORS ! L'AIR FRAIS LUI FERA DU BIEN !
DIS AUX PYGMÉES QUE LA JUNGLE N'EST PLUS EN DANGER ! LES CENT LIONS VONT SE RENDORMIR !
ERREUR ! JE NE ME SUIS PAS DONNÉ TOUT CE MAL, POUR ORDONNER À MON AMIE DE REPLONGER SA TROUPE DANS LA LÉTHARGIE MAGIQUE !
GROUL !
BLINK
EN AVANT, LES MATOUS ! DES AVENTURES NOUS ATTENDENT, HORS DE CES MURS POUSSIÉREUX !
HEIN ?
QUOI ?
33

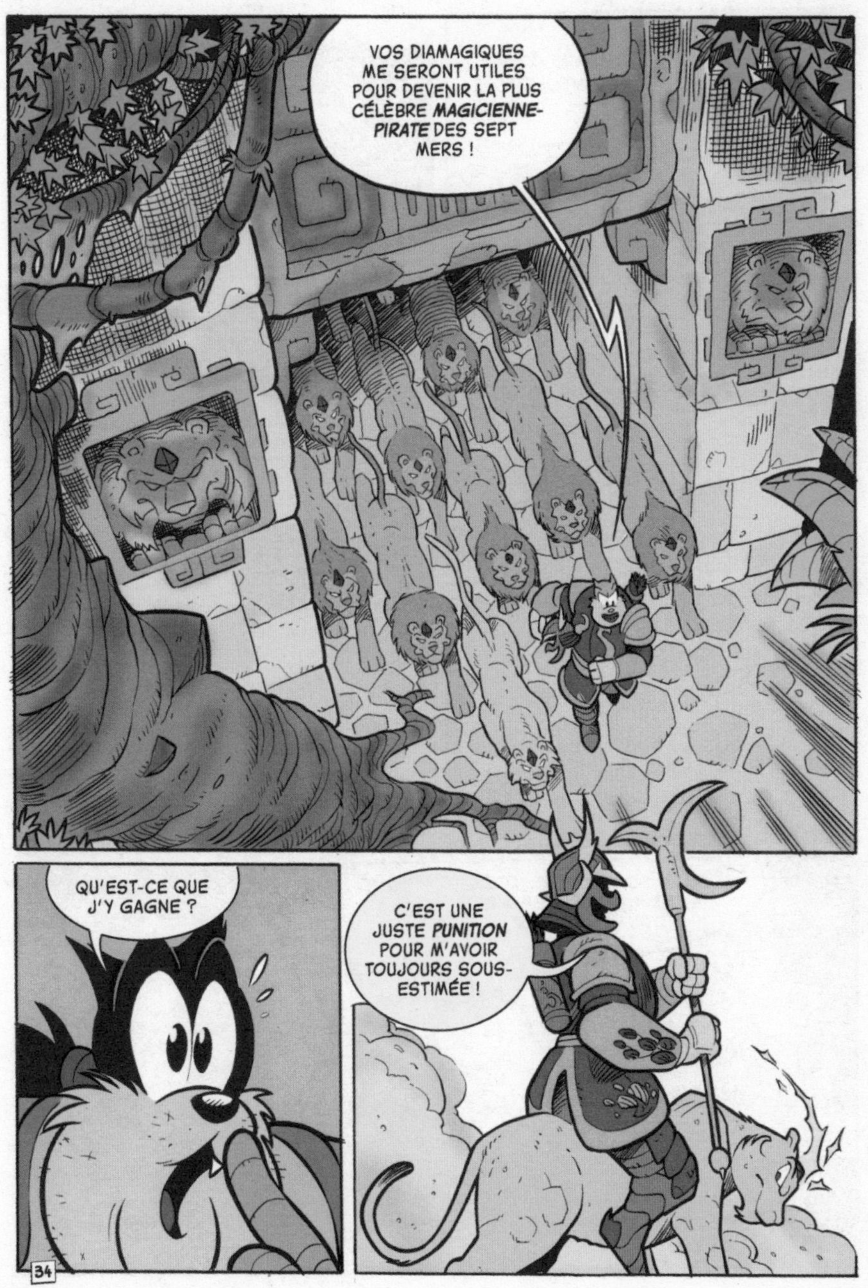
VOS DIAMAGIQUES ME SERONT UTILES POUR DEVENIR LA PLUS CÉLÈBRE MAGICIENNE-PIRATE DES SEPT MERS !
QU'EST-CE QUE J'Y GAGNE ?
C'EST UNE JUSTE PUNITION POUR M'AVOIR TOUJOURS SOUS-ESTIMÉE !
34

HUE-YAH !
ENVOLE-TOI !
JE CONFIRME ! UNE FEMME SUR UN BATEAU PORTE MALHEUR !
ELLES ONT LE MAL DE MER !
ELLES TE JETTENT L'ANCRE SUR LES PIEDS !
ELLES SONT PLUS RUSÉES ET, À LA FIN, ELLES S'EMPARENT DU BUTIN ! GRRR !
HA ! HA ! HA !
35

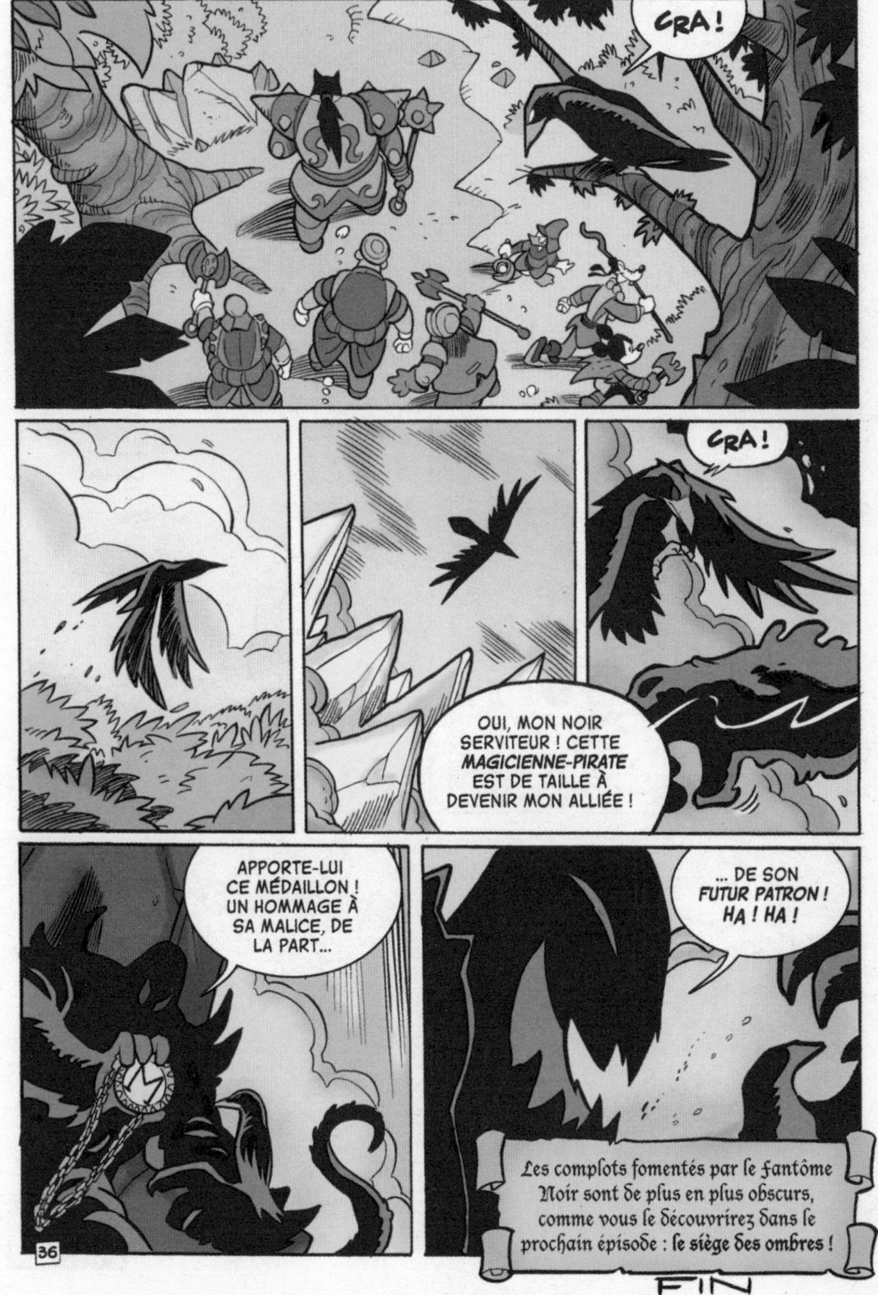
CRA !
CRA !
OUI, MON NOIR SERVITEUR ! CETTE MAGICIENNE-PIRATE EST DE TAILLE À DEVENIR MON ALLIÉE !
APPORTE-LUI CE MÉDAILLON ! UN HOMMAGE À SA MALICE, DE LA PART...
... DE SON FUTUR PATRON ! HA ! HA !
Les complots fomentés par le Fantôme Noir sont de plus en plus obscurs, comme vous le découvrirez dans le prochain épisode : le siège des ombres !
36
FIN

Walt Disney
LES BONS HORAIRES

QUELLES TÊTES, LES ENFANTS !
TU L'AS DIT, POPOP ! C'EST TOUJOURS PAREIL...
J-2857-02

... PLAGE BONDÉE, ET PAS UN SEUL CENTIMÈTRE CARRÉ DE LIBRE !
DU COUP, ON RENTRE ! PFFF !

QUESTION D'ORGANISATION ! MOI, JE PROFITE DE LA MER SUR UNE PLAGE DÉSERTE, CHAQUE FOIS QUE JE LE DÉSIRE !
COMMENT FAIS-TU ?

JE CHOISIS LES BONNES HEURES !
FIN

DES JEUX DES JEUX DES JEUX DES JEUX

Solutions page 238

DIFFÉRENCES

Repère les sept différences entre ces deux dessins.

DOMINOS

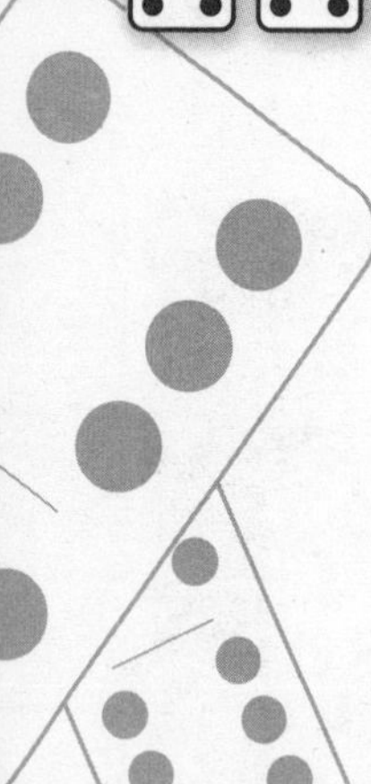

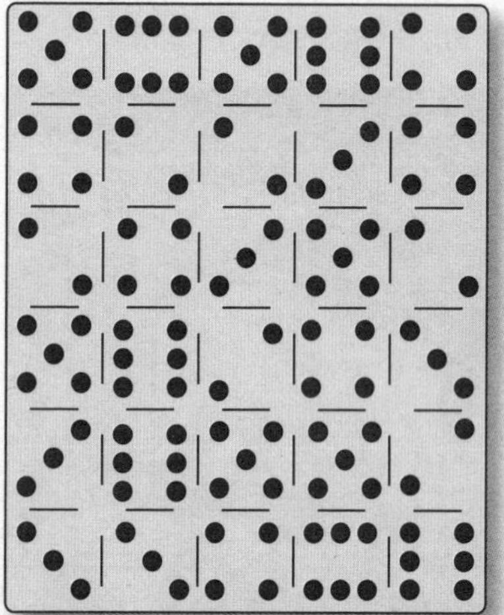

Ces quinze dominos ont été regroupés dans le rectangle ci-contre. Retrouve l'emplacement de tous les dominos, en dessinant leurs contours. Commence par les doubles et ceux qui n'ont qu'une place possible.

MOTS COUPÉS

Sauras-tu reformer ces douze noms de véhicules? Chaque mot est coupé en deux et chaque partie ne sert qu'une fois.

 • Solutions p. 238

FUTOSHIKI

Chaque ligne et chaque colonne doivent contenir les chiffres de 1 à 5, en tenant compte des restrictions > (supérieur à) et < (inférieur à).

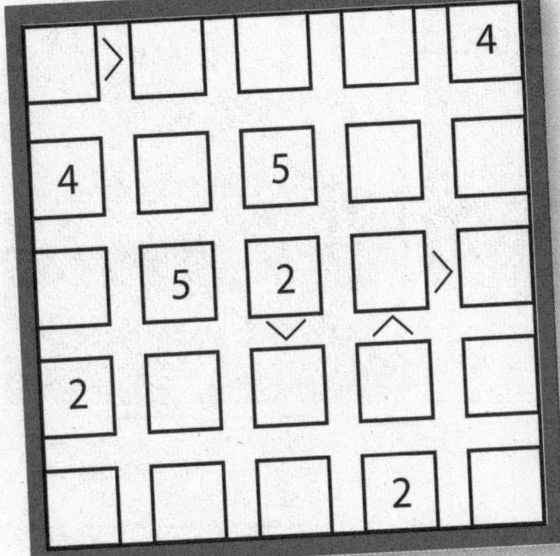

SUDOKU

Chaque ligne, chaque colonne et chaque carré de neuf cases doivent contenir, une seule fois, les chiffres de 1 à 9. À toi de jouer!

		3	8				9	7
	1	7		6				
	9		3	7		8		
4	3							
1			6		3			9
							1	5
		1		3	8		2	
				2			6	
2	4				6	5		

ZIGZAG

Trouve les mots de la liste qui se suivent en zigzag dans cette grille, de flèche en flèche. Chaque lettre ne sert qu'une fois.

BALLUCHON
BESACE
CAISSE
COFFRE
FOURRE TOUT
MALLETTE
MUSETTE
POCHETTE
SAC À DOS
SACOCHE
VALISE

V A L E T S A C
A M L T E S U A
I L E H C E M D
S E B E O T S O
R F F S C T E F
E P O A A R U O
H C O C C S R E
E A L E N U O T
T B L H O T I S
T E U C C A S E

Conception: P. Valli - L. Mahler.

Matt et Simon partent en Inde à la recherche d'une plante qui doit sauver un de leurs amis. Mais la mission est difficile. Pourrais-tu leur donner un coup de main?

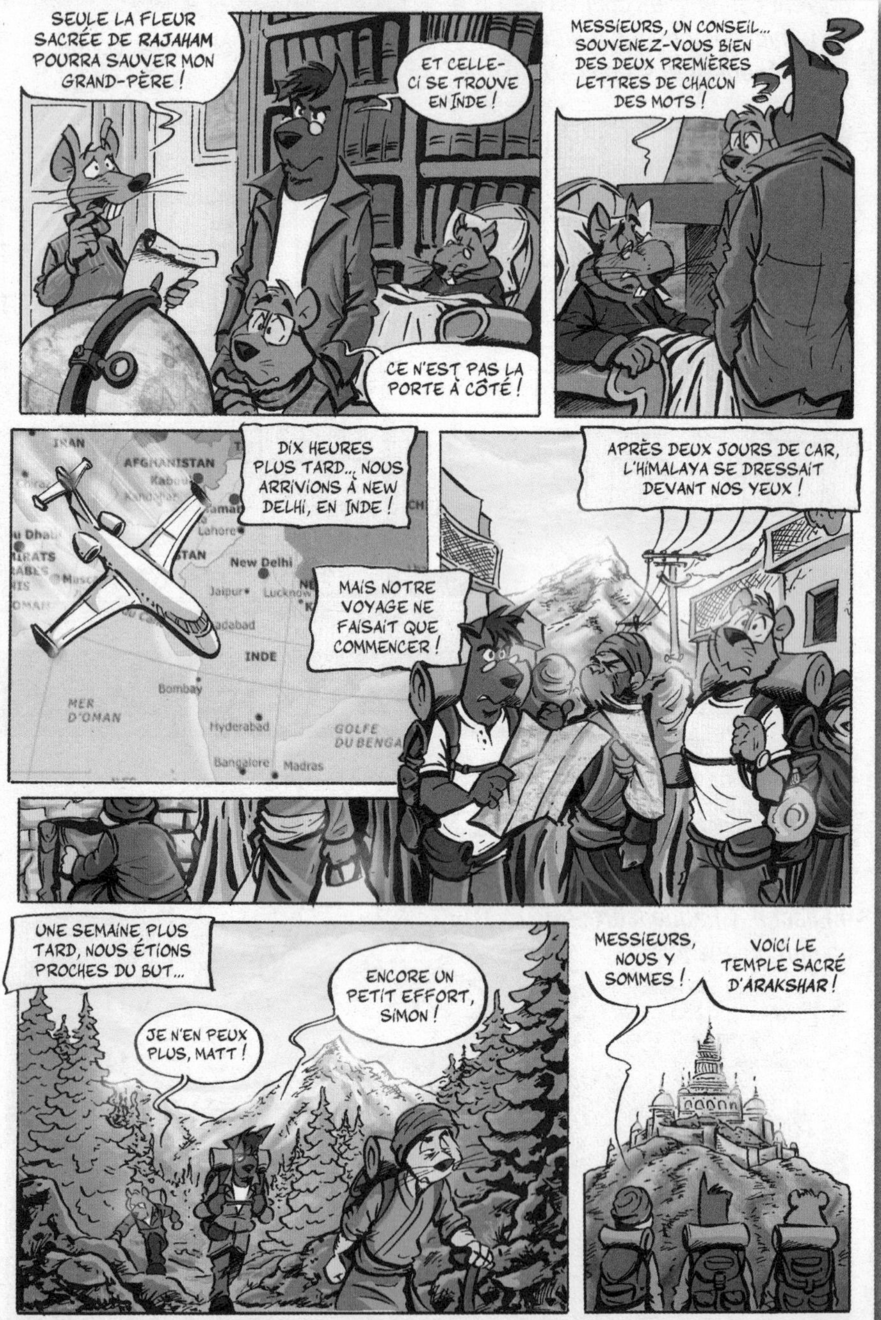

SEULE LA FLEUR SACRÉE DE RAJAHAM POURRA SAUVER MON GRAND-PÈRE !

ET CELLE-CI SE TROUVE EN INDE !

CE N'EST PAS LA PORTE À CÔTÉ !

MESSIEURS, UN CONSEIL... SOUVENEZ-VOUS BIEN DES DEUX PREMIÈRES LETTRES DE CHACUN DES MOTS !

DIX HEURES PLUS TARD... NOUS ARRIVIONS À NEW DELHI, EN INDE !

MAIS NOTRE VOYAGE NE FAISAIT QUE COMMENCER !

APRÈS DEUX JOURS DE CAR, L'HIMALAYA SE DRESSAIT DEVANT NOS YEUX !

UNE SEMAINE PLUS TARD, NOUS ÉTIONS PROCHES DU BUT...

ENCORE UN PETIT EFFORT, SIMON !

JE N'EN PEUX PLUS, MATT !

MESSIEURS, NOUS Y SOMMES !

VOICI LE TEMPLE SACRÉ D'ARAKSHAR !

Conception: Aré.

NOS CHEMINS SE SÉPARENT ICI !
MERCI POUR TOUT, JAAPOUR !

OH, UNE DERNIÈRE CHOSE... SOUVENEZ-VOUS DE LA RELIGION DE MON PEUPLE EN INDE... CELA VOUS AIDERA !

NE DITES RIEN...
JE SAIS QUE VOUS VENEZ POUR LA FLEUR !
OUI, GRAND SAGE... C'EST POUR GUÉRIR UN DE NOS AMIS !

POUR CELA, VOUS DEVREZ RÉSOUDRE MON ÉNIGME... VOICI UNE LISTE DE MOTS. TROUVEZ LEUR POINT COMMUN.
IL EN MANQUE UN !
ABEILLE
DEGRÉ
....
NOMBRE
TUBE
XYLÈME

L'UN DES SIX MOTS DE CETTE LISTE A LE MÊME POINT COMMUN... ET C'EST LE MOT MANQUANT !
INDIEN
CÉLESTE
HINDOU
IMAGE
ÉTERNEL
ANNEAUX

MATT, JE NE ME SOUVIENS PLUS DES CONSEILS DE NOS AMIS...
NE T'INQUIÈTE PAS, SIMON ! MOI, JE N'AI RIEN OUBLIÉ... ET JE CONNAIS LA SOLUTION !
ET TOI, AS-TU DÉCOUVERT QUEL ÉTAIT LE MOT MANQUANT ?

Il fallait trouver le mot "hindou". Comme le dit le grand-père, page 232, case 2: «Souvenez-vous des deux premières lettres de chacun des mots.» En effet, ils commencent par deux lettres qui se suivent dans l'alphabet: ABeille, DEgré, NOmbre, TUbe et XYlème. Le seul mot de la seconde liste commençant par deux lettres qui se suivent dans l'alphabet est "hindou". De plus, l'hindouisme est la religion la plus pratiquée en Inde (voir Jaapour, page 233, case 2).

LES PIONS

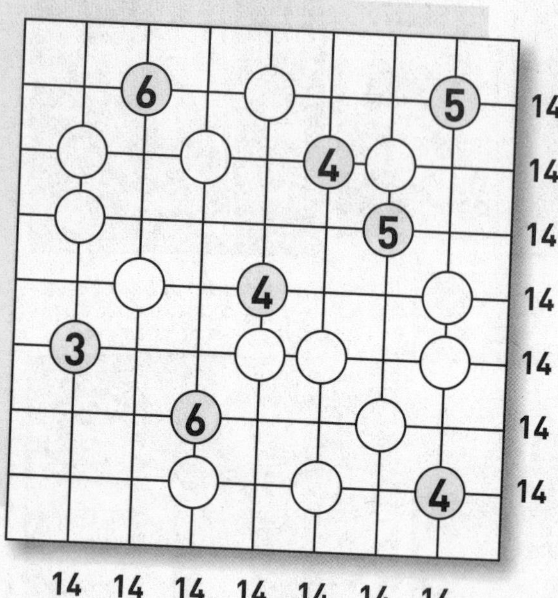

Inscris, dans les pions vides, les chiffres nécessaires pour obtenir un total de 14 sur chaque alignement horizontal et chaque alignement vertical. Il ne peut pas y avoir deux fois le même chiffre par alignement.

GLISSEMENTS

Fais apparaître un proverbe. Glisse dans chaque case vide une lettre voisine, horizontalement ou verticalement. Noircis les cases vidées, de façon à séparer les mots et à reconstituer une phrase.

QUIGVEU T
VO A ERL O
INYDOI TM
NAGERUSAE
MONT RE

Conception: L. Mahler. Illustration: © Disney.

GRILLE FLÉCHÉE

Remplis cette grille à l'aide des définitions et place les mots trouvés selon le sens indiqué par les flèches.

Celui qui voyage

Voyageur en visite

Vente au marché en criant

Elle a de gros os, elle est donc...

Célébration

Tête de tigre

Faire ses réservations

Dans un autre pays que le sien, on est à l'...

Le paquebot en est un, le ferry aussi

Font circuler les voyageurs ferroviaires

Endroits à visiter

Début d'une aventure

Saison des grandes vacances... et des voyages

Bouts de rouler

S'évader de chez soi

Paralysent les voyageurs

Mer anglaise

Service après-vente

Endroit, région

Au cœur de la nuit

Consonnes de frein

Rougir sans voyelles

Grande mer sur laquelle on voyage

Petit kilogramme

Station où passent et s'arrêtent les trains

Quitte le sol et nous emmène en voyage

Infinitif

Retire

Pays, nation

4 à Rome

Rouge anglais

Matière à bougie

Pour dire "contre"

Contraire de partir

Vaste champ

Sous fa

Eut du courage

La mienne

Paradis perdu

En couchette, on est dans le train de...

Conception: Virgile.

PARADOTEST

DESTINATION VOYAGE

Es-tu plutôt sédentaire, nomade ou "nomade saisonnier" (définition 100 % MPG du voyageur en vacances)? Ce test t'aidera à y voir clair.

1 Il n'y a rien à voir dans le désert du Yariendutou…

C Cela n'a donc aucun intérêt.
A Possible, mais tu iras quand même.
B Si tu passes à proximité, tu feras un détour.

2 Tu aimerais parler correctement…

C Le français et l'anglais.
B Au moins trois langues.
A Une dizaine de langues, pour commencer.

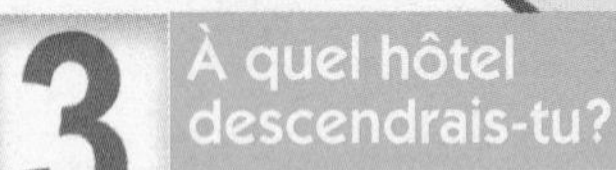

3 À quel hôtel descendrais-tu?

A L'hôtel des Voyageurs.
C L'hôtel de la Mer.
B L'hôtel de la Gare.

4 Tu pars pour une journée de marche, mais il se met à pleuvoir…

C Tu fais demi-tour.
A Tu es équipé(e) et tu continues.
B Tu t'abrites en attendant que la pluie passe.

5 Tu te trompes de bus et tu ne connais pas sa destination…

A Génial! L'aventure est au bout de chez toi.
B C'est un peu contrariant, mais amusant.
C Stressé(e), tu demandes au chauffeur d'arrêter le bus.

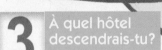

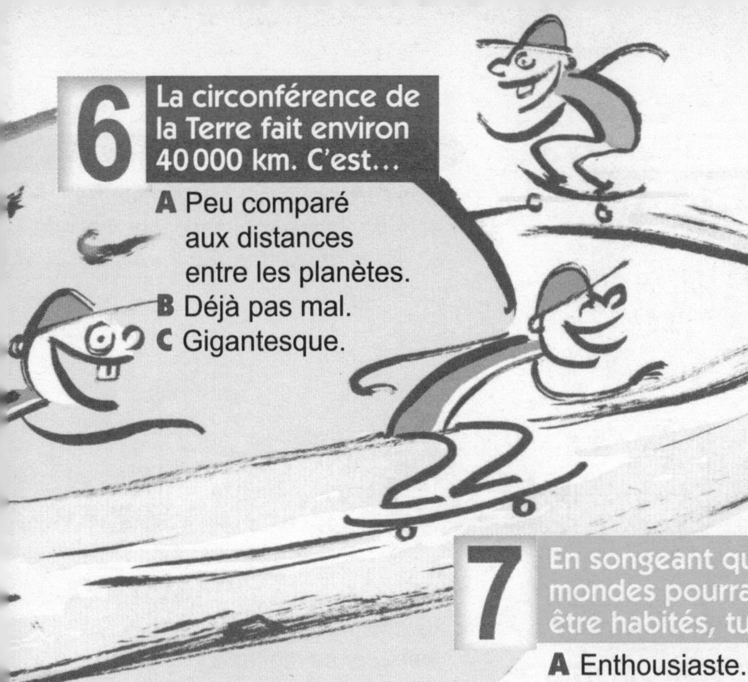

6 La circonférence de la Terre fait environ 40 000 km. C'est...

A Peu comparé aux distances entre les planètes.
B Déjà pas mal.
C Gigantesque.

7 En songeant que d'autres mondes pourraient être habités, tu es...

A Enthousiaste.
C Angoissé(e).
B Intéressé(e).

8 Tu vis au XXXIe siècle et tu pars faire le tour...

A De la Voie lactée.
B Du système solaire.
C De ton quartier.

9 Tu disposes d'une machine à voyager dans le temps. Tu choisis...

B Le 31 décembre 1999, à minuit.
A Le 31 décembre 2999, à minuit.
C Hier, à minuit.

10 On peut voyager...

B Pendant les vacances.
A Tout le temps.
C Aussi bien dans sa tête.

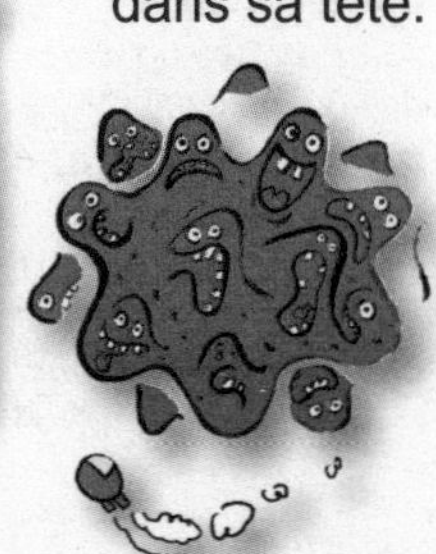

Texte: E. Carré. Illustrations: S. Fajner.

SOLUTIONS DES JEUX

P. 229 DIFFÉRENCES

P. 231 ZIGZAG

Dans l'ordre: valise, besace, coffre, pochette, balluchon, sacoche, mallette, sac à dos, musette, fourre-tout, caisse.

P. 234 LES PIONS

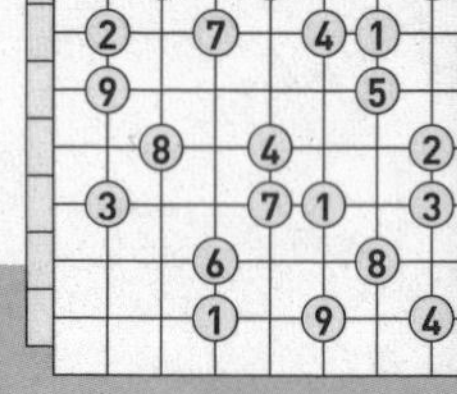

P. 230 DOMINOS

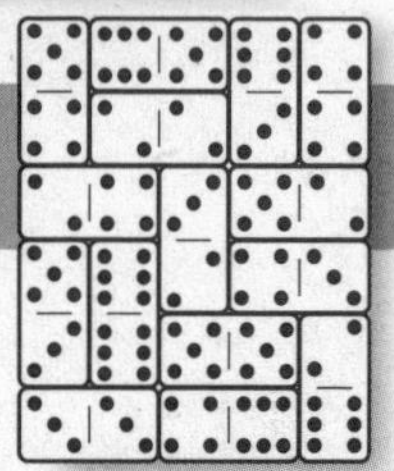

P. 234 GLISSEMENTS

"Qui veut voyager loin doit ménager sa monture."

P. 230 MOTS COUPÉS

Avion, bicyclette, camion, carrosse, fusée, hélicoptère, montgolfière, moto, paquebot, scooter, voiture, voilier.

P. 235 GRILLE FLÉCHÉE

P. 231 SUDOKU

5	2	3	8	4	1	6	9	7
8	1	7	9	6	5	4	3	2
6	9	4	3	7	2	8	5	1
4	3	5	7	1	9	2	8	6
1	8	2	6	5	3	7	4	9
9	7	6	2	8	4	3	1	5
7	6	1	5	3	8	9	2	4
3	5	9	4	2	7	1	6	8
2	4	8	1	9	6	5	7	3

P. 231 FUTOSHIKI

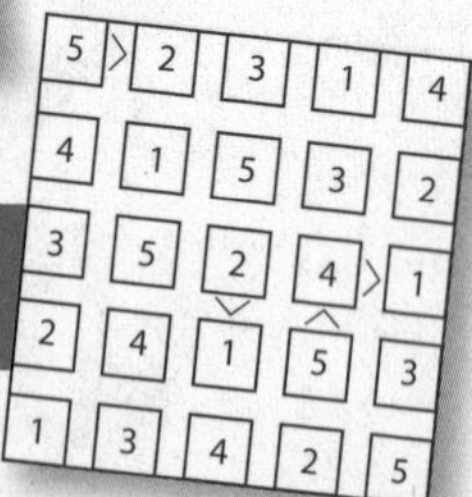

P. 236 PARADOTEST

Majorité de A
Tu as attrapé un virus du voyage virulent, contre lequel il n'y a pas de remède. Comme les nomades, tu détestes prendre racine. Ça, c'est bon pour les végétaux.

Majorité de B
Tu aimes partir pour mieux retrouver ensuite ta chambre, ton ordi, tes copains… Ça se soigne, docteur? Oui, avec un petit voyage de temps à autre.

Majorité de C
Totalement immunisé(e) contre le virus du voyage, pour changer d'air, tu ouvres ta fenêtre. Tu voyages dans ta tête avec ton imagination, les livres… et Internet.

Walt Disney
PROFONDÉMENT MOTIVÉ

EUH... JE CROIS QU'ON M'ATTEND...
DU CALME, C'EST POPOP QUI COMMENCE !
AH, NON ! MOI, J'AI LE VERTIGE !
I-2851-02

TSSK ! REGARDEZ-MOI CETTE BANDE DE FROUSSARDS !

POUR LUI, C'EST FACILE ! IL N'HÉSITE MÊME PAS !

NORMAL, IL EST MOTIVÉ !
FIN

Gros plan sur...

... LES TRACES DU FANTÔME NOIR

Titre original
"Topolino e il caso sottilissimo", dans l'hebdomadaire italien "Topolino" n° 2619 (2006).

L'embrouille...

Vague de vols à Mickeyville, sans aucune trace d'effraction. Seul indice, la fameuse "tache" laissée par le Fantôme Noir. Comment fait-il? Mangez un caramel et vous trouverez peut-être.

L'EFFET DU BONBON EST TEMPORAIRE ET JE NE VOUDRAIS PAS QUE...?
EH, EH !
?
J'ai trouvé le moyen de me transformer en courant électrique ! Adieu, crétin !

Scénariste

Casty (né en 1967) est le pseudo de l'Italien **Andrea Castellan.** En 1994, il écrit ses premiers scénarios pour "Silver's "Cattivik" comics" et, neuf ans plus tard, son nom apparaît chez Disney. Casty dessine aussi!

Dessinateur

Lorenzo Pastrovicchio (Italien) étudie le design, l'architecture... et suit les cours de l'Académie Disney de Milan. Ses premières histoires sont publiées en 1994. Il a adoré travailler sur les nouvelles aventures de PK.

Mini-mémo

Le Fantôme Noir (Phantom Blot)...

- Premier méfait: le 20 mai 1939 dans "Outwits the Phantom Blot", de Merrill De Maris et Floyd Gottfredson. Déjà, il sème la panique et Mickey frôle la mort à plusieurs reprises. C'est le plus mauvais des méchants. À côté, Pat est une pâte.
- Il voit la vie en noir. Son costume: un suaire (brrr!), sa signature: une tache, son âme... tout est noir.
- Son rêve: asservir le monde. Ça, en revanche, c'est banal.

JE M'APPELLE MICKEY, ET JE FAIS LE BRUIT QUE JE VEUX ! VENEZ ME FAIRE TAIRE !

GÉNIUS S'EST PLONGÉ DANS LES DERNIÈRES AVENTURES DE MICKEY...
TU NE M'AVAIS JAMAIS PARLÉ DE CELLE-CI !
CETTE HISTOIRE EST ASSEZ RÉCENTE, EN FAIT...
FARCE
MICKEY ET DINGO RÉSOLVENT L'AFFAIRE "BIDIBONBONS"

IL Y AVAIT, À L'ÉPOQUE, TOUTE UNE SÉRIE DE VOLS INEXPLIQUÉS DANS MICKEYVILLE !
?!

"NUL NE COMPRENAIT COMMENT LE VOLEUR S'Y PRENAIT, POUR ENTRER ET SORTIR D'ENDROITS THÉORIQUEMENT INACCESSIBLES ! QUANT À LA POLICE..."
1

VOUS N'AVEZ AUCUNE PISTE ?!
AHEM...
UMPF ! ON EN A UNE !

Scénario: Casty - Dessins: L. Pastrovicchio

SACHEZ QUE NOUS CONNAISSONS MÊME LE COUPABLE ! IL S'AGIT DU FANTÔME NOIR !
DUFLAIR, NON...
LES BILLETS SIGNÉS QU'IL LAISSE DERRIÈRE LUI L'INCRIMINENT !
BRAVO POUR VOTRE PERSPICACITÉ !
JE VAIS VOIR LE COMMISSAIRE, HISTOIRE DE LUI REMONTER LE MORAL... HEIN ?
TU VEUX DES DENTS BLANCHES COMME LES MIENNES ?
PRENDS ÉCLAT
GORILLE
CETTE PUB N'EST PAS TRÈS CLAIRE !
TOPOBEL
HI, HI !
CELLE-LÀ NON PLUS !
OUST'INSECT
COMBAT LES MOUCHES ET LES MOUSTIQUES !
AH ! MAINTENANT, JE COMPRENDS !
SALUT, MICKEY !
2

JE VOIS QUE TU AS TROUVÉ DU TRAVAIL !
OUI ! ET C'EST TRÈS MARRANT D'AFFLIGER DES PUBLICITÉS !
BESOIN D'UN PRÊT ? VENEZ CHEZ NOUS !

"AFFICHER", PAS "AFFLIGER" ! D'AILLEURS, TU NE TE SERAIS PAS UN PEU TROMPÉ !
TARATATA ! J'AI MA TECHNIQUE !

J'AFFLI... EUH... J'AFFICHE LES MOITIÉS SUPÉRIEURES, PUIS JE REVIENS EN ARRIÈRE ET JE POSE CELLES DE DESSOUS !
AH !

OH ! CETTE AFFICHE A BOUGÉ !
?!

ARGH ! LA PUBLICITÉ DEVIENT DE PLUS EN PLUS AGRESSIVE !
STRAAAP

3

DINGO !
OH, OH, LE COMMISSAIRE EST AFFLIGÉ !
JE TE SIGNALE QUE C'EST LE COMMISSARIAT !
PINPIN, LE LAPIN MALIN
JOE

RIEZ ! IL SE TROUVE QUE JE SUIS VRAIMENT AFFLIGÉ !
À CAUSE DU FANTÔME NOIR ?
LAPIN MALIN

OUI ! SES VOLS AUDACIEUX SONT EN TRAIN DE NOUS *RIDICULISER* !
HI, HI !

VOUS VOYEZ ?
VOUS, *CIRCULEZ* !
JE PENSE QU'ON DEVRAIT POURSUIVRE CETTE CONVERSATION À L'INTÉRIEUR !
LE LAPIN MALIN
4

VOILÀ LES BILLETS QU'IL SÈME PARTOUT ! ILS SONT MOQUEURS ET... MYSTÉRIEUX !
?
HUM... ON DIRAIT QU'IL Y A UN AUTRE MESSAGE, À TRAVERS CES MOTS ! COMME S'IL S'AGISSAIT D'ÉNIGMES !
Je n'apparais pas... souvent !
Je ne Suis qu'une... Silhouette !
Cette fois encore, j'ai travaillé... Finement !
LÀ, IL VEUT DIRE QU'IL FRAPPERA CETTE NUIT, AU MUSÉE DE LA CUILLÈRE !
COMMENT AS-TU COMPRIS ÇA ?
EH BIEN, C'EST ÉCRIT DE MANIÈRE PRÉCISE, DE L'AUTRE CÔTÉ !
QUEL CYNISME !
Je frapperai cette nuit, au musée de la cuillère !
CE FANFARON TROUVERA TOUTE UNE UNITÉ D'AGENTS PRÊTS À LE CUEILLIR !
J'Y SERAI AUSSI ! ET TOI, DINGO ?
NON ! J'AI DU RETARD ET JE TRAVAILLE CETTE NUIT !
5

ET...
C'EST FAIT ! LES AGENTS ENCERCLENT LE BÂTIMENT ET IL Y EN A SUR LE TOIT !

IL FAUDRAIT ÊTRE... ÉPAIS COMME UNE FEUILLE, POUR FRANCHIR CETTE BARRIÈRE !

TU NE SAIS PAS À QUEL POINT TU DIS *VRAI*, FINOT.

IL EST GRAND TEMPS DE MANGER UN DE MES *BONBONS* PRÉFÉRÉS !
6

ZUT ! CE NIGAUD DE DINGO TRAVAILLE ! JE VAIS LUI JOUER UN TOUR !
DOUM DOUM DOUM !
PLUS DE TACHES AVEC DÉTACHMAX

DINGO ! JE SUIS LE BONHOMME NOIR DE DÉTACHMAX !
UNE PUB QUI PARLE ?!

QUI PARLE ET... QUI *TAPE DANS LE MILLE* !
SBONK

HA ! HA ! PASSONS AUX CHOSES SÉRIEUSES, MAINTENANT !
OH, LÀ, LÀ !

TOI, TU DIRAS À TON COLLÈGUE QU'IL N'EST PAS SYMPA !

OH ! IL A PERDU DES BONBONS !
7

S'IL AVAIT ÉTÉ GENTIL, JE LES AURAIS RENDUS ! MAIS C'EST MOI QUI LES MANGERAI !

CEPENDANT...
JE PENSE QU'ON LUI A FAIT PEUR ! IL NE VIENDRA PLUS !
QUE DITES...?

EH, DERRIÈRE VOUS ! LE FANTÔME NOIR !
QUOI ?
ZIP

CE SONT NOS OMBRES ! QU'EST-CE QUI T'ARRIVE, MICKEY ?
J'AURAIS JURÉ...

WEEEEEEEEEEE
L'ALARME !
IL EST À L'INTÉRIEUR ! COMMENT A-T-IL FAIT ?

L'ARGENTERIE A ÉTÉ VOLÉE !
UN AUTRE BILLET !

AVEC LA PHRASE RITUELLE, SARCASTIQUE ET MYSTÉRIEUSE !
Avez-vous apprécié ma... finesse ?

8

J'IGNORE COMMENT IL EST ENTRÉ, MAIS IL NE SORTIRA PAS D'ICI !
HA ! HA !
?

NAÏFS !
IL EST LÀ-HAUT !
ATTRAPONS-LE !

MAIS...
IL A DISPARU !

COMMENT EST-CE POSSIBLE ? IL N'Y A PAS DE SORTIE, ICI !
HUM...

CHEF ! VENEZ VITE ! LE FANTÔME NOIR EST DEHORS ! NOUS AVONS APERÇU SA SILHOUETTE !
ON ARRIVE !
?!
9

LÀ-BAS ! C'EST SA VOITURE !
ALLÔ, L'HÉLICOPTÈRE ! SUIVEZ-LE !

SUIVRE QUI, CHEF ? ON NE VOIT RIEN DE SUSPECT !

ZUT ! JE L'AI PERDU DE VUE, MOI AUSSI !
PFFF ! CETTE HISTOIRE EST UN VRAI CASSE-TÊTE !
WEEEEEEE...
P31

EH ! LE REVOILÀ ! IL A TOURNÉ DANS CETTE RUE !

ON LE TIENT ! LA VOIE EST SANS ISSUE !
16

HEIIIN ?
ILS SE SONT VOLATILISÉS, LUI ET SA VOITURE !
SKREEEE
P31
10

IL S'EST CERTAINEMENT CACHÉ DANS UN DE CES DEUX BÂTIMENTS, COMMISSAIRE !
ON LE DÉBUSQUERA !
DUFLAIR, TOI ET TES GARS, PRENEZ LE BÂTIMENT DE DROITE ! NOUS INSPECTERONS L'AUTRE !
BIEN !
OPÉRATION RATISSAGE !
?
"LA POLICE FOUILLA LES DEUX IMMEUBLES DE FOND EN COMBLE..."
"... MAIS IL N'Y AVAIT NULLE TRACE DE NOTRE VOLEUR !"
VOUS AVEZ VU L'HEURE QU'IL EST ?!
"MAIS..."
ABANDONNEZ ! VOUS NE POUVEZ RIEN...
?
OH ! ÇA VIENT D'À CÔTÉ !
11

... FACE À UN GÉNIE DE MON ÉPAISSEUR !
IL EST DE L'AUTRE CÔTÉ DU MUR !
CHAAARGEEEZ !
KRAASH
HEIN ?
QUOI ?
MAIS ?
JE PORTERAI PLAINTE CONTRE LA POLICE !
PFFF...
MAIS COMMENT LE FANTÔME NOIR S'Y PRENAIT-IL ? NOUS TOURNIONS EN ROND ! C'EST ALORS QUE LE LENDEMAIN, JE REÇUS UN DRÔLE DE COUP DE FIL...
?
12

BAIIILLE... IL EST TÔT !
JE ME DEMANDE
QUI C'EST !
BRIIIP

OH, DINGO !
TU NE
TRAVAILLES
PAS ?
NON, J'AI
UN PROBLÈME !
JE ME SUIS
RENDU COMPTE,
SOUDAINEMENT...

... QUE J'ÉTAIS UNE
PERSONNE PLUTÔT PLATE !
J'AIMERAIS QU'ON
EN PARLE !

DINGO S'INTERROGE
SUR LUI-MÊME !
QUI L'EÛT CRU ?
113

SALUT ! QU'EST-CE
QUI T'ARRIVE, MON
VIEUX DINGO ?
C'EST
À CAUSE DES
BONBONS !
DINGO
13

J'EN AI MANGÉ UN ET... JE SUIS DEVENU
COMME ÇA !
OH ! MAIS
C'EST VRAI !
TU ES TOUT
PLAT !

PARLE-MOI DE CES BONBONS !
ILS SONT TOMBÉS DES POCHES DU BONHOMME NOIR DE DÉTACHMAX ...

... PENDANT QU'IL QUITTAIT SON AFFICHE !
PARDON ?

CE TYPE, TRÈS ANTIPATHIQUE, M'A MÊME DONNÉ UN COUP DE POING !
C'EST *ABSURDE*, VOYONS ! RÉFLÉCHIS-SONS !

OUPS ! D-DINGO ? OÙ ES-TU ? J-JE NE TE VOIS PLUS !
C'EST NORMAL ! DE PROFIL, JE SUIS PRESQUE *INVISI-BLE* !

COMME LE FANTÔME NOIR ! C'ÉTAIT *LUI*, TON BONHOMME NOIR !
AH !
14

LA FARCE QU'IL T'A JOUÉE LUI COÛTERA CHER ! ALLONS CHEZ FINOT !
O.K. !

ET...
IL FAUT LE VOIR DE SES YEUX, POUR LE CROIRE !
ARRÊTE LA DÉMONSTRATION, DINGO !
Z-? JE M'AMUSE COMME UN PETIT FOU, MICKEY !
FLIP
ÇA EXPLIQUE BIEN DES CHOSES...
... ET LE SENS CACHÉ DES PETITS MOTS !
OUI !...?!
GRIND
OUCH !
Je n'apparais pas...
OH, OH ! L'EFFET DU BONBON A CESSÉ !
BILL, ENVOIE LE TECHNICIEN DE LA PHOTOCOPIEUSE !
À L'AIDE !
ON VA POUVOIR AGIR SANS SE FAIRE SURPRENDRE !
J'AI DÉJÀ UN *PLAN*, COMMISSAIRE !
VOUS VERREZ, CE VANTARD FINIRA PAR SE FAIRE PIÉGER !
MAGNIFIQUE !
RECHERCHÉ
15

TSSK ! MAUDITE SOURIS !
RECHERCHÉ

FLIP
CHÉ
NOUS VERRONS QUI ATTRAPERA QUI !

ET...
LE FANTÔME NOIR A ANNONCÉ QU'IL FRAPPERA CETTE NUIT À LA PINACOTHÈQUE !

JE VAIS AVALER UN BONBON, ET JE L'ATTENDRAI, EN ME FONDANT DANS LE CÉLÈBRE TABLEAU "LES JOUEURS DE CARTES" !

TU NE VEUX VRAIMENT PAS QUE JE RESTE AVEC TOI ?
NON ! VA TRAVAILLER ET NE T'INQUIÈTE PAS !
16

SI LES CHOSES SE GÂTENT, IL Y AURA LA MOITIÉ DU COMMISSARIAT, LÀ, DEHORS !

IL EST PRESQUE MINUIT !
PRÉPARONS-NOUS...
GNIAM !

EXTRAORDINAIRE !
ME VOILÀ FIN COMME UNE CARTE
À JOUER !

TOUJOURS PAS
LÀ ! J'AIMERAIS QU'IL
ARRIVE, MAINTENANT !

L'EFFET DU BONBON EST
TEMPORAIRE ET JE NE VOUDRAIS
PAS QUE...?
EH, EH !
?

J'HALLUCINE ? ON DIRAIT QUE
MON PARTENAIRE DE PEINTURE RIGOLE !
IL A MÊME L'AIR VIVANT !
17

AAHA !
À PRÉSENT, TU FAIS
QUOI, LE RAT ?
ARGH !
JE...

... JE RELANCE !
OUCH !
FRRRL

À MOI, LE PISTOLET !
TSSK !

ATTRAPE-MOI, SI TU PEUX ! HA ! HA !
VOOOSH

FLIP
OOOOOH !

BANQUE DE MICKEYVILLE
VOILÀ L'ACCUEIL RÉSERVÉ
À NOS CLIENTS !
18

SPLAT
?
SPLAT

FLIP
FLIP
HOLÀ ! JE RETIRE MON ARGENT DÈS DEMAIN !

HA ! HA ! HA !
JE TE RATTRAPERAI !

OUPS !
ATTENTION ! LE CAMION !
?

SKREE
OH, NON !

MAIS QU'AI-JE FAIT ?!

NE VOUS INQUIÉTEZ PAS, MONSIEUR ! TOUT VA BIEN !

19

"CETTE POURSUITE INHABITUELLE DURA JUSQU'À CE QUE..."
POUF !
WUP

ZUT ! DISPARU ! ET ENCORE À CÔTÉ DE CES DEUX BÂTIMENTS !

SI ÇA SE TROUVE, C'EST PEUT-ÊTRE LÀ QU'IL A SON *REPAIRE* !

POURTANT, NOUS AVONS CHERCHÉ PARTOUT, AVEC LA POLICE...

... EXCEPTÉ DANS LES *FISSURES* ! *BON SANG !* ET S'IL SE CACHAIT VRAIMENT LÀ ?
20

HA ! HA ! HA !
FLIP
YIIIP ! JE PENSE QUE J'AI MA RÉPONSE !

J'AI FINI PAR T'AMENER LÀ OÙ JE LE DÉSIRAIS !

BIEN-VENUE DANS MON REPAIRE BIDIMEN-SIONNEL !

CLIC

OUAH ! INCROYA-BLE !

LES CHOSES N'ONT AUCUNE *ÉPAISSEUR* !
C'EST GRÂCE À CET APPAREIL !

LE *BIDIMENSIONNEUR* ANNULE LA TROISIÈME DIMENSION DES *OBJETS INANIMÉS*, DE MANIÈRE RÉVERSIBLE !

21

HÉLAS, IL NE FONCTIONNE PAS SUR LES GENS ! POUR ATTEINDRE LA BIDIMENSION, IL FAUT AVALER CES *BIDIBONBONS* !

L'EFFET NE DURE QU'UNE HEURE, ET ÇA VA ÊTRE UN *PROBLÈME* !
MAIS TU EN AS TOUTE UNE POIGNÉE !
VRRR

JE VOULAIS DIRE UN PROBLÈME POUR *TOI* !
POK
?

L'EFFET DE TON BIDIBONBON FINIRA BIENTÔT ! CE QUI VEUT DIRE QUE TU REDEVIENDRAS *TRIDIMENSIONNEL*...

... ET CE NE SERA PAS AGRÉABLE, ÉTANT DONNÉ TA POSITION !
GLOUPS !
22

MOI, JE *DÉMÉNAGE* ! JE ME SENS À *L'ÉTROIT*, DANS CE REFUGE !
HA ! HA ! HA !
!

ADIEU ET À JAMAIS, LE HÉROS RAPLAPLA !
VROOOOM

"LA SITUATION ÉTAIT VRAIMENT CRITIQUE ! JE N'AVAIS PLUS QU'À APPELER..."
À L'AIDE ! À L'AIIDE !

EH ! QUAND ALLEZ-VOUS ENFIN BAISSER LE VOLUME DE VOTRE TÉLÉ ?
?!
BUMP BUMP

COMMENCEZ DÉJÀ PAR BAISSER LE VOLUME DE LA VÔTRE !
GRRR !
J'AI UNE IDÉE !

JE M'APPELLE MICKEY, ET JE FAIS LE BRUIT QUE JE VEUX ! VENEZ ME FAIRE TAIRE !
23

QUOI ? VOUS ALLEZ VOIR !
GRRR ! ATTENDEZ UN PEU !

CROCK
PICK
POK
PAK
HEIN ? C'EST VOUS... MICKEY ?
NON, C'EST MOI ! AIDEZ-MOI, ET JE VOUS EXPLIQUERAI TOUT !
PFIOU ! JUSTE À TEMPS !
POP
COMMISSAIRE !
MICKEY ! NOUS TE CHERCHIONS ! ÇA VA ?
OUI, MAIS LE FANTÔME NOIR S'EST ENFUI AVEC LE BUTIN !
HÉ ! HÉ ! PAS VRAIMENT !
24

IL FILAIT EN RASANT LES MURS, MAIS IL A CROISÉ DINGO SUR SA ROUTE !
?

JE VENAIS JUSTE DE POSER LA COLLE SUR LES MURS.
!

... QUAND LE FANTÔME NOIR EST APPARU !
OOOH !
GRRR !

TOI... TU...
OUI ?
LÀ, TU PEUX VRAIMENT DIRE QUE LE FANTÔME NOIR EST AFFLIGÉ !
VOILÀ COMMENT ÇA S'EST TERMINÉ !
QUELLE AVENTURE ! CE BANDIT EST EN PRISON, MAINTENANT !
25

MALHEUREUSEMENT, NON ! EN PRISON, ILS ONT COMMIS L'ERREUR DE LE LAISSER S'ADONNER À SES.. HOBBIES !
VOILÀ LA PIÈCE QUE TU VOULAIS ! C'EST POURQUOI ?
J'AIME CONSTRUIRE DES GADGETS ÉLECTRIQUES INUTILES !
"ET..."
NON !
J'ai trouvé le moyen de me transformer en courant électrique ! Adieu, crétin !
BRRR ! C'EST VRAIMENT UN GÉNIE !
EH, OUI ! ON VA MANGER UNE PIZZA ?
QUELQUE CHOSE ME DIT QUE NOUS ENTENDRONS BIENTÔT PARLER DE LUI, GÉNIUS !
BZT FZT
JE TE LE PROMETS, MICKEY !
26
FIN

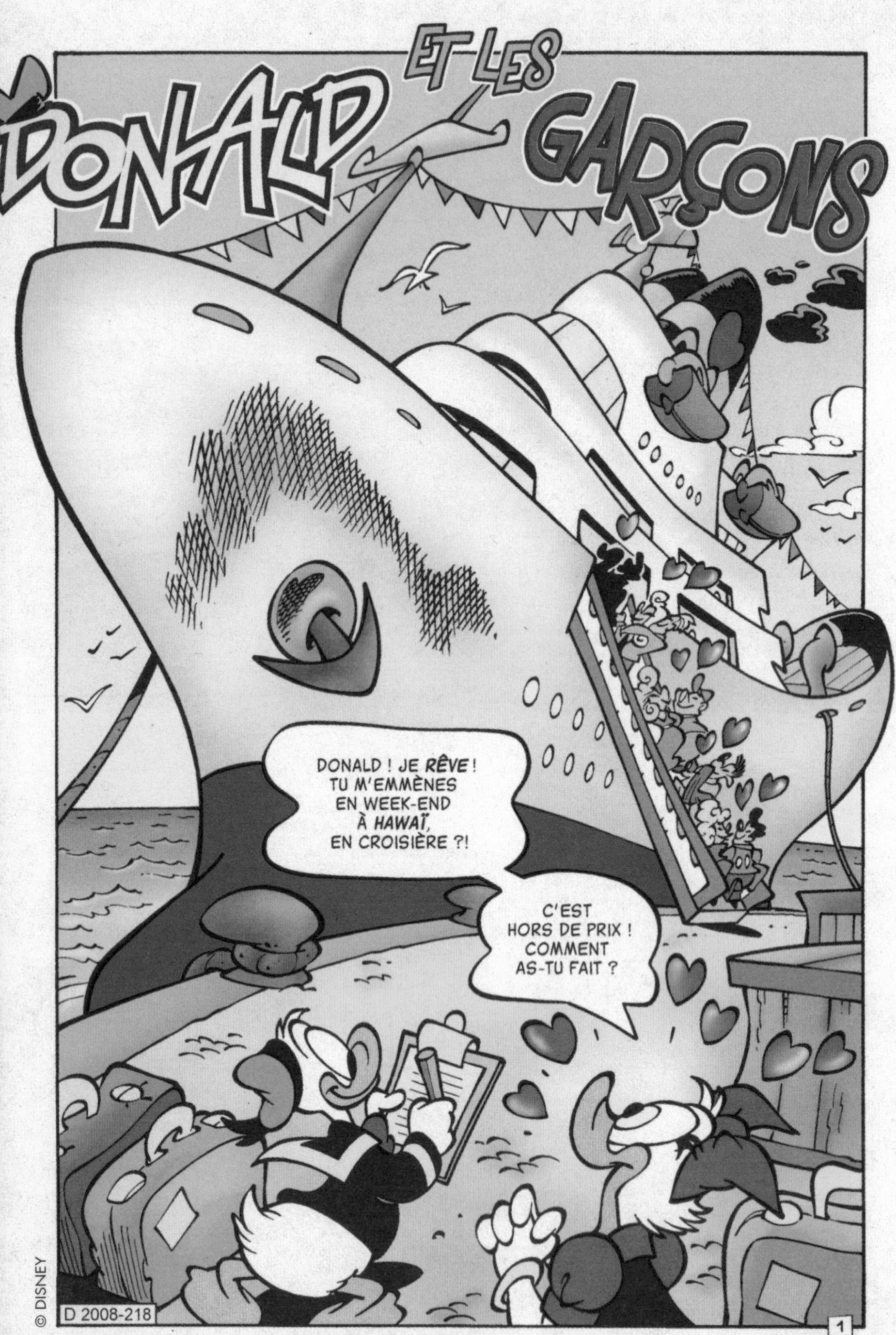

Scénario: M. & L. Shaw - Dessins: F. Andersen

TU AS DÛ TRAVAILLER COMME UN FOU !
JE N'AI PAS TRAVAILLÉ DU TOUT !
ET JE N'AURAI PAS À LE FAIRE ! MÊME SI CE NE SONT PAS VRAIMENT DES VACANCES, POUR MOI ! LIS ÇA !
"CŒURS SOLITAIRES, CONSULTEZ LE DOCTEUR LOVE !"
C'EST MOI ! COACH POUR DIX PATIENTS EN MAL D'AMOUR, PENDANT CETTE CROISIÈRE !
TOI ?!
UN "DOCTEUR LOVE" ?! ET DEPUIS QUAND ?
DEPUIS QUE MON SITE WEB LE PROCLAME !
C'EST DE L'ARGENT VITE GAGNÉ ! AIDER CINQ HOMMES ET CINQ FEMMES TIMIDES ET PEU GÂTÉS PAR LA NATURE À SE RENCONTRER !
ILS DOIVENT AVOIR TROUVÉ L'ÂME SŒUR, AVANT D'ARRIVER À HAWAÏ !
EUH... BONJOUR !
C'EST VOUS, "DOCTEUR LOVE" ?
2

APPELEZ-MOI DOC, LES GARS !
JE LA SENS MAL, CETTE CROISIÈRE !
JE SUIS CARL !
ET MOI, JULES ! OÙ SONT-ELLES ?
IL N'Y A QU'ELLE ?
IL EN MANQUE QUATRE !
OÙ SONT-ELLES, DONALD ?
DÉJÀ À BORD, SANS DOUTE, SURVEILLE NOS SACS, S'IL TE PLAÎT !
DONALD ! TU N'ES PAS QUALIFIÉ POUR JOUER LES "DOCTEUR LOVE" !
ON S'EN FICHE !
J'AI JUSTE À ASSORTIR AU MIEUX CES DIX PERSONNES ! RIEN DE PLUS FACILE !
OÙ EST LE PROBLÈME ?
VITE !
ALLEZ !
VITE !
3

JE PRÉVOIS UN DÉSASTRE DE FORCE 10 !
ARRÊTE DE RONCHONNER, DAISY ! TOI, TU N'AURAS RIEN À FAIRE !
APRÈS, À HAWAÏ, ON PASSERA DE BELLES VACANCES EN AMOUREUX, AVEC L'ARGENT GAGNÉ !
LÀ, ÉVIDEMMENT...
TWOUT !
DÉGAGEZ LA PASSERELLE !
AH ! ON LÈVE L'ANCRE !
LE PONT-PROMENADE EST LE LIEU DE RENCONTRE IDÉAL, POUR MES CLIENTS !
CES DAMES DOIVENT S'Y TROUVER !
JE NE VOIS QUE DES COUPLES D'AMOUREUX, MAIS AUCUNE FEMME SEULE !
TU AS RAISON !
OÙ SONT-ELLES PASSÉES ?
4

JE NE COMPRENDS PAS ! LES EXPLICATIONS ÉTAIENT CLAIRES !
MONTRE !
BRAVO ! TU T'ES TROMPÉ D'HEURE ET DE BATEAU !
QUOI ? TU PLAISANTES !
HÉLAS, NON !
OOOH !
ON N'EST PAS SUR LE BON NAVIRE !
DAISY ! JE SUIS DANS LE PÉTRIN !
TU N'AS QUE LA MOITIÉ DE TA CLIENTÈLE ! SUPER !
SI JE NE LEUR TROUVE PAS DE COPINES, ILS ME FERONT UN PROCÈS !
OH ! TU CROIS QU'ILS OSERAIENT ?
OH, OUI ! D'AILLEURS, C'EST ÉCRIT SUR LE CONTRAT !
C'EST BIEN UN DÉSASTRE DE FORCE 10 !
TCHAO !
5

NON, ATTENDS ! AIDE-MOI !
TU DISAIS QUE JE N'AURAI RIEN À FAIRE !
DAISY ! JE T'EN PRIE ! IL ME FAUT JUSTE CINQ REMPLAÇANTES !
J'AI PEUR DE COMPREN- DRE !
JE TE DEMANDE D'ÊTRE CES CINQ FILLES ! DE JOUER COMME AU THÉÂTR... AÏE !
ILS ME RECONNAÎ- TRONT !
SI TU TE DÉGUISES À CHAQUE FOIS, ILS PENSERONT QUE TU ES UNE AUTRE !
DAISY... PAR PITIÉ !
SEIGNEUR ! BON...
ÇA VEUT DIRE OUI ?
TRUIIT !
MESSIEURS ! C'EST L'HEURE DU PREMIER RENDEZ-VOUS !
6

PROMENEZ-VOUS SUR LE PONT !
BONNE CHANCE !
DONALD ! CE N'EST PAS À MOI DE...
MADAME... POUVEZ-VOUS LÂCHER MON POIGNET ?
REVIENS ICI, "DOCTEUR LOVE" !
VOUS... VOUS ME FAITES MAL...
BOUGEZ-VOUS ! ON A UNE PROMENADE À FAIRE !
MON POIGNET ! AÏE !
JE... J'ESPÈRE QUE LES AUTRES FILLES SONT MOINS... EUH...
... ÉNER-GIQUES ?
J'ALLAIS DIRE "MUSCLÉES" !
7

APRÈS LA "PROMENADE"...
OOOH... OUUUH...
DONALD ! OÙ ES-TU ?
JE TE RETROUVERAI, ALORS MONTRE-TOI !
DAISY !
J'AI APPELÉ LE PORT DE DONALDVILLE ! LES DAMES SONT ENCORE LÀ-BAS !
OUI, ET ALORS ?
CABINE RADIO
SAUVEZ-MOI...
UN BATEAU RAPIDE VA LES AMENER. JE TE DEMANDE DE JOUER ENCORE UN PEU TON RÔLE !
BEN VOYONS... CE N'EST PAS SI TERRIBLE ! GRRR !
CRAC !
OUAÏE !
AU PORT DE DONALDVILLE...
... ET À BORD D'UNE VEDETTE...
?!
8

CAPITAINE ! POURQUOI CES ÉCARTS DE LANGAGE ?
PARDON, MISS FOX ! CE... (CENSURÉ !)... MOTEUR NOUS A LÂCHÉS !
EH BIEN, RÉPAREZ-LE !
ÇA DEMANDERA CINQ JOURS, MADEMOISELLE !
J'AI BIEN ESSAYÉ DE LOUER UN AUTRE YACHT, MAIS RIEN N'ÉTAIT DISPONIBLE !
C'EST IMPOSSIBLE !
NOUS SOMMES MANNEQUINS ! ON VA À HAWAÏ POUR DES SÉANCES PHOTO !
DANS CE CAS, PRENEZ L'AVION !
L'AVION ? MAIS CETTE CROISIÈRE NOUS A COÛTÉ UNE FORTUNE !
JE N'AIME PAS L'AVION !
C'EST VOTRE FAUTE !
JE N'Y PEUX RIEN, SI TOUS LES YACHTS SONT PRIS...
9

SI ON N'EST PAS AU RENDEZ-VOUS POUR LA SÉANCE PHOTO, ILS NOUS REMPLACERONT, LYDIA !
JE SAIS, BIJOU !
TROUVONS UN AUTRE BATEAU !
COMME CELUI-CI ?
M'DAMES, C'EST VOUS, LES "CŒURS SOLITAIRES" ?
OUI ! VOUS NOUS EMMENEZ À BORD DU "PRINCESSE D'HAWAÏ" ?
EXACT ! ET AVEC LES COMPLIMENTS DU "DOCTEUR LOVE" ! FALLAIT QUE J'VOUS LE DISE !
JE N'AI PLUS TROP ENVIE D'ALLER À HAWAÏ !
ATTENDEZ ! SI J'AI BIEN ENTENDU, VOUS ÊTES DES "CŒURS SOLITAIRES" ?
OUI, POURQUOI ?
IL S'AGIT D'UN CLUB ?
NON, C'EST UNE TENTATIVE DÉSESPÉRÉE !
NOUS ALLONS À HAWAÏ RENCONTRER DES GARÇONS QU'ON N'A JAMAIS VUS !
D'AUTRES "CŒURS SOLITAIRES" !
10

VOUS LES AVEZ VUES ? COMMENT PEUT-ON ÊTRE AUSSI...
LÉA ! ENFIN ! TAIS-TOI !
CE N'EST PAS LEUR FAUTE SI ELLES SONT... EUH...
ET SI ON VOUS RACHETAIT VOS BILLETS ?
VRAI ?
AU PRIX FORT ?
OUI, POUR PRENDRE VOS PLACES !
?
MOI, ÇA ME VA !
OUI ! CE SERA TOUJOURS ÇA DE PRIS !
L'AMOUR, CE N'EST PAS POUR DES FEMMES COMME NOUS ! PFFF !
QU'EST-CE QUE TU AS FAIT, LYDIA !
TU ES FOLLE !
VOUS ME REMERCIEREZ, LES FILLES !
CE BATEAU EN REJOINT UN AUTRE QUI VA À HAWAÏ, ET LE CAPITAINE...
... NOUS DÉBARQUERA SUR CE BATEAU !
11

C'EST UNE BONNE FAÇON DE JOINDRE L'UTILE À L'AGRÉABLE, CAR DANS CE GENRE DE CROI-SIÈRE...
... IL Y A TOUJOURS DES GENS ORDINAIRES, DONC...
DES GENS ORDI-NAIRES ?!
MON DIEU ! QUELLE HORREUR !
EN JOUANT LES "CŒURS SOLITAIRES", ET AVEC NOTRE PHYSIQUE, ON SERA TRAITÉES COMME DES PRINCESSES !
VU SOUS CET ANGLE...
CE N'EST PAS STUPIDE !
ÇA POURRAIT MÊME ÊTRE DRÔLE !
HELLO, JOLIS MAT'LOTS !
NOUS ALLONS FAIRE UN BOUT DE VOYAGE ENSEMBLE !
OUI, M'DAME !
CHOUETTE !
SUP... GLOUB !
BOMP
SPLOTCH!

CEPENDANT...
CINQ PROMENADES SUR LE PONT. JE SUIS MORTE...
JE SUIS ÉPATÉ ! TU LES AS BLUFFÉS !
NON ! ILS ONT TROP PEUR POUR ME REGARDER EN FACE !
AH ! TRANSAT, CHER TRANSAT !
PROFITES-EN, DAISY, PARCE QUE...
... LES CINQ DAMES NE SONT PAS ENCORE LÀ. IL Y A UN BAL DANS QUELQUES HEURES...
ET ?
TU ES LA SEULE PARTENAIRE DISPONIBLE, POUR DANSER AVEC MES CLIENTS !
JE T'EN PRIE !
GRRR !
MAIS QUI VEUT DANSER ? QUI ?
ELLES SONT TOUTES AGRESSIVES !
J'AI TOUJOURS MAL AU POIGNET !
AH ? MOI AUSSI.
13

EN FAIT, JE NE VEUX PAS ALLER AU BAL !
MOI NON PLUS !
FINALEMENT, TU AS DES CHANCES DE TE REPOSER CE SOIR, DAISY !
HEIN ?
WOUUUÊÊÊ !
ILS SONT TERRORISÉS ! QUE LEUR AS-TU FAIT ?
J'VEUX PAS !
ATTENTION ! TU VEUX ÊTRE LE SIXIÈME ?
DES PASSAGERS VONT MONTER À BORD !
HOURRA ! CE SONT ELLES !
PFIOU ! JE REVIS !
QUE SE PASSE-T-IL ?
14

J'VAIS VOUS AIDER, M'DAME !
NONC ! MOIC !
NE VOUS ÉNERVEZ PAS, MESSIEURS !
VOUS ALLEZ TOUS NOUS AIDER ! COMME ÇA, PAS DE JALOUX !
BIENVENUE, CHERS "CŒURS SOLITAIRES" ! JE SUIS DONALD, VOTRE "DOCTEUR LOVE" !
DOCTEUR LOVE ?! QUEL JOLI NOM !
NOUS SOMMES TRÈS CONTENTES D'ÊTRE LÀ !
OUI ! LES "CŒURS SOLITAIRES" SONT SOUVENT... SOLITAIRES !
EUH... VOUS ÊTES BIEN CELLES QUE J'ATTENDS ?
OUI, MON CHOU !
REGARDE NOS BILLETS ! ILS SONT AUTHENTIQUES, N'EST-CE PAS, LÉA ?
EN EFFET, LYDIA !
LYDIA ? LÉA ?
15

ATTENDEZ ! J'AI LU LES NOMS SUR LE BLOC-NOTES DE DONALD !
IL N'Y AVAIT AUCUNE LYDIA OU LÉA !
AH ! VRAIMENT ? EUH... C'EST PARCE QUE...
ON EST DE GRANDES TIMIDES. ON A PRIS DES PSEUDOS !
MOI, C'EST LYDIA...
... LÉA...
... NINA...
... DIANE...
... ET BOO !
BOO ?
PFFF !
DONALD ! À QUEL JEU JOUES-TU ?
ELLES NE DEVAIENT PAS ÊTRE SÉDUISANTES...
... MAIS CE SONT LES BILLETS ! C'EST MOI QUI LES AI ENVOYÉS !
ET TU NE LES AVAIS JAMAIS VUES, AVANT ? TU LE JURES ?
16

OUI ! JE NE VOULAIS PAS METTRE DE PHOTOS SUR MON SITE, POUR NE DÉCOURAGER PERSONNE !
J'AI QUAND MÊME UN DOUTE !
DÉTENDS-TOI ! JE VAIS LES PRÉSENTER À MES CINQ LASCARS, ET TU PROFITERAS ENFIN DE LA CROISIÈRE !
SI TU LE DIS...
BONNE CHANCE, DONALD !
QUANT AU BAL, JE N'Y PARTICIPERAI PAS !
LE BAL A COMMENCÉ, MAIS...
CE QU'ON S'ENNUIE !
ON DEVAIT AVOIR DES PARTENAIRES !
ET JE NE VOIS QUE DES COUPLES !
NON, IL Y A CES GARÇONS, LÀ-BAS ! ILS TREMBLENT COMME DES FEUILLES !
17

MESSIEURS ! LEVEZ-VOUS ET INVITEZ CES JEUNES FEMMES À DANSER !
NOUS ?
AH, NON !
CE NE SONT PAS LES MÊMES !
MAIS ELLES SONT AUSSI TERRIFIANTES !
ON DIRAIT DES MANNEQUINS ! ON N'EST PAS À LA HAUTEUR !
D'AILLEURS, J'AI VU L'UNE D'ELLES SUR UNE AFFICHE, DANS LA RUE !
J'VEUX RENTRER !
POULES MOUILLÉES ! JE VAIS VOUS MONTRER LA MARCHE À SUIVRE !
MESDAMES... VOUS DANSEZ ?
AH ! JE COMMENÇAI À M'ENDORMIR !
MOI D'ABORD !
HEUREUSEMENT QUE VOUS ÊTES LÀ, "DOCTEUR LOVE" !
MA PRES-CRIPTION EST SIMPLE : SECOUEZ-VOUS !
18

VOUS ÊTES DOUÉ, DOC ! CONTINUEZ COMME ÇA !
J'AIME DANSER ! JE NE ME FORCE PAS ! VOUS VOUS DÉBROUILLEZ BIEN, AUSSI !
SHHHHH !
PFIOU ! TU M'OFFRES UN VERRE D'EAU, DAISY ?
AVEC PLAISIR, DOC !
SPLATCH !
ARGH !
JE TE SENS FÂCHÉE, POURQUOI ?
CREUSE-TOI LES MÉNINGES, EINSTEIN !
JE T'ASSURE, DAISY ! J'ESSAIE DE MOTIVER MES CLIENTS ! CE SONT DES CAS, CES GARS-LÀ !
BEN VOYONS, DOC !
C'EST MON TOUR, DOC !
19

JE... JE SUIS À BOUT DE SOUFFLE...
AH, NON ! ON COMMENCE À PEINE !
VENEZ VOUS AMUSER, BANDE DE RABAT-JOIE !
IL TROUVE ÇA AMUSANT ?!
POUR MOI, C'EST UN CAUCHEMAR !
VOUS ME GÂCHEZ MON PROGRAMME... OUARGH !
J'AI ÉTÉ TROP DURE AVEC DONALD ! IL N'A PAS L'AIR D'ÊTRE À LA FÊTE !
HAN ! OUF ! POUF !
QUANT À EUX, IL A RAISON ! JE N'AI JAMAIS VU DES GARÇONS AUSSI FROUSSARDS !
ÉCLIPSONS-NOUS PENDANT QUE LE DOC EST OCCUPÉ !
OUI ! JE SENS QUE JE VAIS CRAQUER !
20

ON N'AURA QU'À S'EXCUSER, DEMAIN !
À TRAVERS LE HUBLOT DE LA CABINE !
IJIHK !
MA COPINE DE CE MATIN ?!
PAS DE PANIQUE ! JE VIENS VOUS FAIRE UNE PROPOSITION !
OU VOUS DANSEZ AVEC CES DEMOISELLES, OU VOUS DANSEZ...
... AVEC MOI !
AAAAAH !
TSSK ! JE LES AI TERRORISÉS !
ILS VONT ME DONNER DES COMPLEXES !
21

DES DANSEURS !
ATTENDEZ !
ON MANQUE DE CAVALIERS !
OH, OH !
QU'EST-CE QU'ON VA FAIRE ?
MAMAN !
J'ADORE DANSER, PAS VOUS ?
ARGH ! SI, M'DAME !
LÈVE LES PIEDS, MON CHOU !
JE... JE NE TOUCHE DÉJÀ PLUS TERRE !
GARDE LE RYTHME !
J'ESSAIE, MADAME... JE N'Y ARRIVE PAS !
GÉNIAL, LES FILLES ! VOUS AVEZ TROUVÉ DES DANSEURS !
MON CAVALIER N'EST PLUS TRÈS FRAIS !
OUF ! POUF !
C'EST LE MOINS QU'ON PUISSE DIRE !
FRANCHEMENT, C'EST UNE DRÔLE DE CROISIÈRE !
OUAH !
JE SUIS... POUF !... DÉSOLÉ, DAISY !
22

JE NE COMPRENDS PAS POURQUOI CES FILLES ONT BESOIN D'UN "DOCTEUR LOVE" ?
TU TE POSES ENFIN LA QUESTION !
TU ES MALADROIT, MAIS TU ES MIGNON, TOUT PLEIN !
QUI ? MOI ?!
OUH !
TU NE DANSES PAS MAL DU TOUT !
QUI ? MOI !
POURTANT, C'EST LA PREMIÈRE FOIS ! ET C'EST GRÂCE À VOUS !
FLATTEUR, VA !
VOUS AVEZ BIEN FAIT D'INSISTER !
JE SAIS ! ON S'AMUSE BIEN !
OH ! TU VOIS, ÇA LES A INSPIRÉS DE ME VOIR À L'ŒUVRE !
JE T'AVAIS DIT QUE CE SERAIT DU GÂTEAU, DAISY !
TU ME REVAUDRAS ÇA, DONALD !
ILS NE REMARQUERONT RIEN, SI ON S'ÉCLIPSE POUR UNE BALADE AU CLAIR DE LUNE, DAISY !
QU'EN DIS-TU, MA BELLE ?
23

TU EN AS VRAIMENT ENVIE ?
BIEN SÛR ! TU EN DOUTAIS ?
EH BIEN, JE...
DAISY ! CROIS-MOI ! JE VOULAIS TE FAIRE BÉNÉFICIER D'UNE BELLE CROISIÈRE ROMANTIQUE !
D'ACCORD ! J'AI HONTE D'AVOIR DOUTÉ DE TOI !
HONTE ? TU M'AS SAUVÉ LA MISE, EN T'OCCUPANT DE CES DRÔLES DE ZIGOTOS !
TU ES LA PLUS CHOUETTE DE TOUTES, DAISY ! ET DE LOIN !
SMAC !
MMM ! COMME C'EST ROMANTIQUE !
24

NOUS, ON EST LÀ, DEHORS... LES "CŒURS SOLITAIRES" SONT À L'INTÉRIEUR... ICI, L'AMOUR EST PARTOUT, DONALD !

DONALD ?!
Z

ZZZZZ AHRRR !
COMME JE LE DISAIS, C'EST ROMANTIQUE !
OH ?!

LE LENDEMAIN...
JE N'AI PAS ENTENDU LE RÉVEIL !
JE T'AI LAISSÉ DORMIR ! TU EN AVAIS BESOIN !
25

MAIS JE NE VOIS PAS MES CLIENTS ! OÙ SONT-ILS ?
ILS SONT TOUS LÀ-BAS, DONALD ! REGARDE...

JE LEUR AI DONNÉ UN PROGRAMME ! POUR LE MOMENT, C'EST L'HEURE DES TRANSATS !
ÇA ALORS ?!
OÙ EST MON SODA GLACÉ ?
IL ARRIVE, MA CHÈRE !
TU FERAIS UN EXCELLENT "DOCTEUR LOVE", DAISY !
J'EN DOUTE ! EN TANT QUE COUPLES, ILS SONT MAL ASSORTIS !
JE VOUS ADORE !
ÉVIDEMMENT !
RAFRAÎCHISSEMENT, MA CHÉRIE ?
NON ! UN MIROIR, PLUTÔT !
DITES-MOI QUE JE SUIS BELLE !
UN PETIT GÂTEAU, MA CHÈRE ?
UN GÂTEAU ?! QUELLE HORREUR !
VOUS ÊTES BELLE ! TRÈS BELLE !
26

LA JOURNÉE PASSE...
DITES-LE ENCORE ET ENCORE !
POUR LA MILLIÈME FOIS... VOUS ÊTES BELLE !
MASSEZ-MOI L'AUTRE PIED !
PFFF ! ENCORE ?! JE N'ARRÊTE PAS.
QU'EST-CE QUI NE VA PAS ? JE N'AI PAS UN COMPLIMENT DEPUIS CINQ MINUTES !
EUH... JE N'AI PLUS DE VOIX !
JE N'EN PEUX PLUS ! JE NE SUIS PAS SON DOMESTIQUE !
J'AI MAL AUX MAINS, AVEC TOUS CES MASSAGES !
SI C'EST ÇA, L'AMOUR...
JE NE VOYAIS PAS ÇA COMME ÇA !
PLUS TARD...
DOCTEUR LOVE ! OÙ EST MON VALET... JE VEUX DIRE, MON CAVALIER ?
LE MIEN AUSSI A DISPARU !
LE MIEN EST PARTI AVANT DE ME FINIR LES ONGLES !
MES MAINS SONT HORRIBLES !
27

JE VOUS LES RAMÈNE !
À L'AVENIR, TÂCHEZ D'ÊTRE PLUS SYMPAS AVEC EUX, MESDEMOISELLES !
TU SAIS... JE LES PLAINS, CES PAUVRES GARÇONS !
TRÈS BIEN !
PARFAIT !
POUH !
TU ES BELLE, SPLEN-DIDE... ETC.
ENCORE !
ARRÊTE ! C'EST LE TRUC LE PLUS FORMIDABLE QUI LEUR SOIT JAMAIS ARRIVÉ !
ILS NE CONCOURENT PAS DANS LA MÊME CATÉGORIE !
PENSE AUX HISTOIRES QU'ILS AURONT À RACONTER !
JAMAIS PERSONNE NE LES CROIRA !
28

PLUS TARD...
ELLES SONT PARTIES ?! ÇA N'A PAS L'AIR DE GÊNER LES *GARÇONS*, MAIS J'AIMERAIS SAVOIR OÙ ELLES SONT !
Z
Z

N'OUBLIEZ PAS ! ON QUITTE LE BATEAU DÈS QU'IL ACCOSTE !
ON ARRIVE À TEMPS POUR LES PHOTOS !

PFFF ! TOUS CES MASSAGES VONT ME MANQUER !
ILS SONT SI TIMIDES. ON EN FAIT CE QU'ON VEUT !
EN ATTENDANT, ON DOIT LES QUITTER, DÈS QU'ON ACCOSTERA !

AAHA ! J'AVAIS FLAIRÉ L'ARNAQUE ! VOUS ÊTES DES *USURPATRICES* !
IIIHK !
C'EST VRAI, DAISY !
ON A PRIS LA PLACE DES VÉRITABLES *"CŒURS SOLITAIRES"* !
JE M'EN DOUTAIS, MAIS POUR-QUOI ?
29

ACHETER LEURS BILLETS ÉTAIT NOTRE *UNIQUE* CHANCE D'ATTEINDRE HAWAÏ À TEMPS...
... POUR LE TRAVAIL !
MAIS NOUS AVONS EU TORT !
O.K. ! JE RECONNAIS QU'ON EN A PROFITÉ POUR SE FAIRE SERVIR, DAISY !
SI VOUS LÂCHEZ LE GROUPE, VOUS METTEZ DONALD DANS LE PÉTRIN ! Y AVEZ-VOUS SONGÉ ?
ILS ONT PAYÉ POUR ÊTRE *ACCOMPAGNÉS JUSQU'À HAWAÏ* !
NOUS SOMMES DÉSOLÉES !
QUE POURRAIT-ON FAIRE POUR LES DÉDOMMAGER ?
EST-CE QUE *CECI* COMPENSERAIT ?
ACCEPTE ! ÇA NOUS COÛTE MOINS CHER QUE LE YACHT QUI DEVAIT NOUS EMMENER !
ET ON S'EST AMUSÉES !
OUI, C'ÉTAIT TRÈS SYMPA !
VOICI MA CONTRIBUTION !
ET LA MIENNE !
30

SUPER ! DONALD POURRA REMBOURSER LES GARÇONS, S'ILS SONT MÉCONTENTS !
MAIS QUELQUE CHOSE ME GÊNE...
C'EST TRISTE, COMME CROISIÈRE !
ÇA REPRÉSENTE UNE PETITE FORTUNE !
J'AIMERAIS QUE CE VOYAGE AIT UNE FIN PLUS HEUREUSE !
Z
Z
J'EMPRUNTE LE BLOC-NOTES DE DONALD ! IL NE SENTIRA RIEN !
LE LENDEMAIN...
TOUS À TERRE !
HAWAÏ ! ENFIN !
CHAUD DEVANT !
ALOHA !
ALOHA !
31

DOUCEMENT, MESSIEURS ! NOUS RESTONS ENSEMBLE !
NOUS AVONS PLANIFIÉ VOTRE SÉJOUR ROMANTIQUE À HAWAÏ !
ARGH ! NON !
NON ! C'EST FINI, TOUT ÇA !
ON N'EN VEUT PLUS !
JE SUIS ÉPUISÉ !
S'IL VOUS PLAÎT, OUBLIEZ-NOUS !
TSSK ! IL N'EN EST PAS QUESTION ! PAR ICI, JE VOUS PRIE !
CLAC!
ARGH !
VOICI VOTRE HÔTEL ! N'EST-IL PAS ROMANTIQUE ?
UNE CAGE DORÉE, OUI !
POUR DES ESCLAVES !
32

DAISY ! JE NE LES TROUVE PAS !
ATTENDONS-LES ! ELLES NE DEVRAIENT PAS TARDER !
PFFF !
J'ESPÉRAIS QU'ELLES AURAIENT FILÉ !
JE NE VEUX PLUS ÊTRE AMOUREUX !
SNIF !
AH ! LES VOILÀ !
DITES BONJOUR À VOS "CŒURS SOLITAIRES" !
QUE...?!
JE NE LES RECONNAIS PAS !
ELLES SONT MOINS BELLES QU'AVANT !
QUE S'EST-IL PASSÉ ?
OOOH ! VOUS AVEZ VU ?
BONJOUR !
33

J'AI EU SUFFISAMMENT D'ARGENT POUR QU'ELLES PRENNENT *L'AVION* JUSQU'ICI !
CE NE SONT PAS LES MÊMES, DAISY ! JE N'Y COMPRENDS RIEN !
SI, CE SONT LES *MÊMES* ! MAIS LES VOYAGES CHANGENT LES GENS !
JE VEUX BIEN, MAIS PAS À CE POINT !
C'EST BEAUCOUP PLUS HARMONIEUX !
ET COMME DAISY L'ESCOMPTAIT...
?
JE RÊVE DE DESSINER DES BD !
JE T'ÉCRIRAI DES SCÉNARIOS !
EST-CE UNE MÉDAILLE DE "FAN DE TECHNO" QUE TU PORTES ?
OH ! TU AS LA MÊME !
ON DIRAIT QUE TU ES MYOPE COMME MOI !
OUI ! ET JE SUIS ASTIGMATE !
34

PLUS TARD...
UN TRUC M'ÉCHAPPE. ELLES SONT DEVENUES MOINS JOLIES, MAIS TOUT LES INTÉRESSE. ELLES SONT MARRANTES, SYMPAS ET ELLES PLAISENT AUX GARÇONS...
PENSE À AUTRE CHOSE !
RÉGALEZ-VOUS !

J'AIMERAIS COMPRENDRE !
DAISY... POURVU QU'ELLES NE SOIENT PAS MALADES !
RANGE TON STÉTHOSCOPE. DORÉNAVANT, "DOCTEUR LOVE"...

JE SUIS LA ***SEULE PATIENTE*** DONT TU DEVRAS T'OCCUPER !
SMACK !
35

GLIP!
GLIP!
GLIP!
FIN

GÉANT ! COMPLETE TA COLLECTION

N°316

N°317

N°318

N°319

N°320

N°321

N°322

N°158

N°159

N°160

N°161

N°162

N°163

N°164

BON DE COMMANDE

Pour recevoir chez toi les anciens numéros de "Super Picsou Géant" et de "Mickey Parade Géant" qui te manquent, remplis ce bon de commande et renvoie-le avec un chèque à:

V.P.C. DHP, BOÎTE POSTALE N° 4, 59718 LILLE CEDEX 9

Je désire recevoir les numéros cochés:

DE MICKEY PARADE GÉANT

☐ MPG n°307	☐ MPG n°315	3,90 € le numéro
☐ MPG n°308	☐ MPG n°316	
☐ MPG n°309	☐ MPG n°317	
☐ MPG n°310	☐ MPG n°318	
☐ MPG n°311	☐ MPG n°319	
☐ MPG n°312	☐ MPG n°320	
☐ MPG n°313	☐ MPG n°321	
☐ MPG n°314	☐ MPG n°322	

DE SUPER PICSOU GÉANT

☐ SPG n°155	☐ SPG n°160	3,90 € le numéro
☐ SPG n°156	☐ SPG n°161	
☐ SPG n°157	☐ SPG n°162	
☐ SPG n°158	☐ SPG n°163	
☐ SPG n°159	☐ SPG n°164	

Nom ....

Prénom ....

Adresse..

....

Code postal |_|_|_|_|_|

Ville ....

Pays ....

Veuillez trouver ci-joint mon chèque à l'ordre de DHP.

Dans la limite des stocks disponibles.

Le délai d'attente pour les deux derniers numéros est de 8 semaines.

APPEL AUX LECTEURS

oyez, oyez!

Communauté de lecteurs...

Pat: «Salut, Noé! Je vois que tu as bien saisi ma nature profonde. Faites comme lui, écrivez-nous et dessinez!»

Noé L.: «Je vous envoie des dessins de Steve, Marcus et Pat.»

MPG: Merci pour tes dessins, Noé! Inutile de compter sur Pat Hibulaire pour dessiner quelque chose de publiable. Heureusement, nos lecteurs assurent!

Nolan: «À l'occasion des 45 ans de MPG, ce serait une bonne idée de publier une ou des BD classiques de Romano Scarpa, Guido Martina, Giorgio Cavazzano, Luciano Bottaro... jamais republiées depuis les premiers numéros de "Mickey Parade".»

MPG: Excellente idée, Nolan! Le hic, c'est que la plupart de ces histoires, victimes de leur succès, ont été re-re... publiées. Mais pour le dernier numéro de l'année, le 325, MPG dénichera l'histoire inédite... et géniale. Juré!

Mathys: «Pourquoi n'y a-t-il pas de cadeaux avec MPG alors que, dans d'autres journaux, il y en a?»

MPG: Scoop! Mathys, cette question-là, on ne nous l'avait pas encore posée. Peut-être parce que le "premier cadeau MPG", ce sont ses 250 pages de BD. D'accord ou pas?...

Pour nous joindre...

Par la poste: **DHP, Rédaction de Mickey Parade Géant, 124, rue Danton, 92538 Levallois-Perret Cedex.**

Par e-mail: **courrierdeslecteursMPG@lagardere-active.com**

Un petit salut amical à...

Jocelyn T., fan de "Epic Mickey", **Hugo R.** et **Victor H.**, en manque de "Dr Mouse". Hélas, il n'y en a pas d'autres à ce jour. (Salut les Belges!) Un coucou cordial à **Malek E.**, **Joachim A.**, **Lucien K... On se retrouve dans deux mois!**

ET, COMME TOUJOURS, LÂCHEZ-VOUS DANS LE RESPECT ET LA BONNE HUMEUR!

Prochain numéro

7 GRANDES HISTOIRES

En vente le 16 septembre 2011

BD vedette: MON MEILLEUR ENNEMI

Et si tu utilisais un peu ton cerveau, pour une fois, Mickey?

J'ai toujours été plus malin!

Celui qui m'a frappé était ton sosie, Pat! Seriez-vous complices?

Et... BIENVENUE AU CLUB!

Ce contrat est-il nécessaire?

Je n'ai pas confia en toi, Picsou Signe-le!

MICKEY PARADE GÉANT N° 323 JUILLET 2011

Directrice générale d'édition: Anne-Marie Labiny. **Directrice adjointe des rédactions:** Lisette Morival. **Rédactrice en chef adjointe:** Christine Goudonis. **Rédactrice en chef adjointe technique:** Stéphanie Maylin. **Maquettiste:** Silvia Biddau. A participé à ce numéro: Marianne Petit (secrétaire de rédaction). Édité par Disney Hachette Presse S. N. C. Siège social: 124, rue Danton, 92538 Levallois-Perret Cedex. SNC au capital de 15 000 €. RCS Nanterre B 380 254 763. Associés: The Walt Disney Company France S.A.S., Hachette Filipacchi Presse. **Gérant:** Bruno Lesouëf. **Éditeur:** Philippe Khyr. **Comité de direction:** Jean-François Camilleri, Jean-Pierre Fabre, Philippe Khyr, Cécile Legenne, Bruno Lesouëf, Pascal Traineau. **Directeur artistique:** Monique Mussigmann. **Secteur BD:** Philippe Marcilly, **documentaliste**, Sandra Duss, **coordinatrice**. **Studio de dessin:** Dominique Amat. **Iconographe:** Solange Collette. **Fabrication:** Paul Bayliss, Cécile Chiquet-Bardet. **Rédaction, Direction, Administration:** 124, rue Danton, 92538 Levallois-Perret Cedex. Tél.: 01 41 34 89 31. PUBLICITÉ: 01 41 34 89 11. **Directrice marketing et commerciale:** Pauline de Bronac. **Directrice de publicité:** Patricia Danan. **Directrice de clientèle:** Barbara Valdès-Le Franc. **Assistante:** Chantal Guillery. Site Web: http://www.dhpregie.com PROMOTION: 01 41 34 88 78. **Production plus-produits:** Marion Stastny. **Chef de projet:** Vanessa Gabriel. **Assistante:** Christine Krutysz. MARKETING DIRECT: 01 41 34 69 25. **Responsable marketing direct:** Bénédicte Montluçon. **Chef de produits:** Sarah Constant. **Assistante:** Katia Simonet. **VPC:** 03 20 12 86 01. **Vente dépositaire: Hachette Filipacchi Diffusion. Numéro d'inscription Commission paritaire: 0112 K 81184. Directeur de la publication:** Bruno Lesouëf. Toutes demandes de renseignements concernant l'utilisation en France, sous une forme quelconque, des personnages de Walt Disney doivent être adressées à: The Walt Disney Company France - 1, rue de la Galmy-Chessy, 77776 Marne-la-Vallée Cedex 04. Tél.: 01 64 17 50 00. Pour la Belgique et la Suisse, The Walt Disney Company (Benelux) S.A., boulevard Léopold-II, 184D - 1080 Bruxelles

Abonnements: Mickey Parade Géant, BP 2 - 59718 Lille Cedex 9. Tél.: 02 77 63 11 18. **Dom Tom et étranger,** tél.: (33) 2 77 63 11 18. E-mail: abonnementsmickeyparade@cba.fr Tarif standard: 6 n^os (France et Belgique): 21€. **Belgique:** The Walt Disney Company (Benelux) s.a./n.v. Tour & Taxis - Havenlaan 86c B217, avenue du Port, 1000 Bruxelles, Belgique. N° bancaire (Belgique): 210-0985197-20. **Suisse:** Dynapresse, 38 av. Vibert, CH 1227 Carouge. Tél.: 022 308 08 08. Tarif standard: 1 an, soit 6 n^os: 40 CHF au lieu de 43,20 CHF (prix kiosque), et 2 ans, soit 12 n^os: 73 CHF au lieu de 86,49 CHF (prix kiosque). Photogravure Hafiba: 11, rue de Rouvray, 92200 Neuilly-sur-Seine. Maury Imprimeur, ZI route d'Étampes, 45330 Malesherbes - IMPRIMÉ EN FRANCE/PRINTED IN FRANCE. Ce numéro n'est complet qu'avec son encart abonnement deux pages jeté sur la 4e de couverture, uniquement pour les kiosques de la Suisse, et son encart abonnement multititre DHP jeté sur la 4e de couverture, uniquement pour les abonnés.